月刊文庫 文蔵 2023.12 目次

JN124108

表紙デザイン・菅野はるな／本文デザイン・小林美代子

「西日本編」発売記念！

翔吾の軌跡

人気時代小説シリーズ
「羽州ぼろ鳶組」をはじめ、
職人同士の対立する信念を描いた歴史小説
『塞王の楯』や高校生の生け花大会を舞台とした
『ひゃっか！』など、多彩なテーマと
重厚な物語で読者を魅了する今村翔吾さん。
これまでの歩みをたどりつつ、
最新刊『戦国武将伝　東日本編／西日本編』
について紹介します。

特集 新刊『戦国武将伝 東日本

作家・今村

CONTENTS

ブックガイド

「羽州ぼろ鳶組」シリーズから
『塞王の楯』、『戦国武将伝』まで
歴史・時代小説の新旗手による
“骨太”な作品たち――細谷正充

ブックガイド

「羽州ぼろ鳶組」シリーズから『塞王の楯』、『戦国武将伝』まで

歴史・時代小説の新旗手による〝骨太〟な作品たち

文・細谷正充

時代小説でのシリーズの大ヒットから始まり、力強い筆致とエンターテインメント性の高い意外な物語展開で、読者を楽しませる作品を描き続ける今村翔吾さん。その足跡を追っていこう。

老若男女の心を摑んで離さない熱い作品

今村翔吾（いまむらしょうご）のデビュー作は、二〇一七年三月に祥伝社から刊行された、文庫書き下ろし時代小説『**火喰鳥（ひくいどり） 羽州ぼろ鳶（とび）組**』であ

る。主人公は、かつて鉄砲組四千五百石の旗本・松平隼人に仕えていた松永源吾だ。松平家の定火消として活躍し〝火喰鳥〟の異名で持て囃された源吾だが、ある事情から主家を辞して浪人となり、妻の深雪と共に市井に逼塞していた。そんな彼が、出羽新庄藩の火消頭にスカウトされた。ちなみに大名が私設の消防隊を抱えるのは義務であり、新庄藩は「方角火消」と呼ばれる。時代小説では町火消が取り上げられることが多く、大名火消は敵役になりがちだ。その大名火消を主役に据えたところに、独自の魅力がある。

以後、新庄藩の火消頭取になった源吾の人材探しと、火消活動が綴られていく。熱気に満ちた物語は、たちまち人気を集め、シリーズ化される。そして巻を重ねるごとに、多数の火消が登場。火消たちの一大サーガ（叙事詩）へとなっていったのである。二〇二一年、本シリーズで、第六回吉川英治文庫賞を受賞した。

この「羽州ぼろ鳶組」シリーズと並ぶのが、二〇一八年の**『くらまし屋稼業』**から始まる、「くらまし屋稼業」シリーズだ。くらまし屋とは、さまざまな事情から、今の自分を消し去り、新た

『くらまし屋稼業』
ハルキ文庫
定価：704円

『火喰鳥　羽州ぼろ鳶組』
祥伝社文庫
定価：814円

な人生を歩みたいという人の願いを叶える、闇の仕事人のこと。メンバーは三人。飴細工職人にして凄腕剣客の堤平九郎、居酒屋の給仕にして頭脳役の七瀬、変装名人の赤也である。それぞれの特技を生かして、困難なミッションを遂行する、くらまし屋の活躍が読みどころ。作者が敬愛する池波正太郎の〝江戸の暗黒街もの〟のテイストも感じられる痛快作である。

　このように時代小説家として順調なスタートを切った作者だが、二〇一八年に第十回角川春樹小説賞を受賞した『**童の神**』で、歴史小説家としての顔を露わにする。作者はどうしても、この新人賞に応募したかった。なぜなら池波正太郎と同じように敬愛する北方謙三が、選考委員だったからだ。実際、平安時代を舞台に、〝童〟と呼ばれる、朝廷に屈せぬ化外の民の戦いを描いた内容は、北方歴史小説で示された、繰り返される革命物語を彷彿させてくれた。同じ赤き血の流れる童が、なぜ京人から蔑まれるのか。童たちの激しい戦いを通じて、差別される側の怒りと悲しみを、余すところなく活写したのである。

　作者は歴史時代作家だが、現在、ただ一冊だけ現代小説があ

『童の神』
ハルキ文庫
定価:880円

る。「全国高校生花いけバトル」を描いた『ひゃっか!』だ。「花いけバトル」とは、五分間の間に即興で花を生ける競技のこと。参加資格は国内の高校生。ただしエントリーは二人一組だ。この大会に出ることを目標とする都内の高校二年生・大塚春乃。大衆演劇の座長を父に持ち、華道も習っている転校生の山城貴音を引っ張り込み、大会に挑む。なんとも爽やかな青春小説だ。なお、作者のエッセイに、本書執筆の経緯が書かれている。詳細は省くが、中学生に時代小説はハードルが高いと思い、誰もが親しみやすいような、女子高生を主人公にした青春小説を執筆したとのこと。こうした若い読者を尊重する姿勢は、素晴らしいものがある。

作者が若者を大切にする大きな理由を、かつてダンスインストラクターをしていたことに求めることができよう。多くの若い生徒と接し、幾つもの忘れがたい思い出ができたようだ。そうした作者の心情がよく表れたのが、『てらこや青義堂』である。江戸日本橋で寺子屋をしている坂入十蔵は、凄腕と怖れられた元公儀隠密。物語の前半は、個性的な筆子(生徒)の面倒を見る十蔵の様子が、楽しく描かれている。筆子が騒動に巻き込まれると、

『てらこや青義堂　師匠、走る』
小学館文庫
定価:902円

『ひゃっか!』
ハルキ文庫
定価:836円

忍法技を駆使して助ける主人公が愉快だ。しかし後半に突入すると、ストーリーのテイストが大きく変化。お陰参りに出かけた十蔵と筆子たちが、忍者集団と激突するのだ。単に十蔵が闘うだけでなく、師匠を慕う筆子たちの行動が嬉しい。この十蔵と筆子の関係に、作者は自己の過去を投影しているのではなかろうか。

テクニックと迫力ある筆致で人間の魅力を描き切る

ここから少し、文学賞受賞作が続く。第四十一回吉川英治文学新人賞を受賞した『八本目の槍』は、賤ヶ岳の戦いで活躍した羽柴秀吉の七人の小姓――いわゆる〝賤ヶ岳七本槍〟を主人公にした連作短篇集だ。江戸時代に脇坂家の家宝として有名だった〝貂の皮〟を巧みに使った「惚れてこそ甚内」や、加藤嘉明（孫六）の意外な正体に驚く「蟻の中の孫六」など、どれも読みごたえあり。そしてラストの「槍を捜す市松」に至ると、福島正則（市松）の視点で、いままでの話を統合。徳川家康を相手に、壮

『八本目の槍』
新潮文庫
定価:880円

大な戦を仕掛けた、石田三成の肖像が浮上してくるのだ。この八番目の槍である三成こそが、真の主人公といっていい。テクニカルな手法が決まった秀作である。

第十一回山田風太郎賞を受賞した『じんかん』の主人公は、戦国の梟雄といわれた松永久秀（弾正）である。最初の方の展開に工夫があるのだが、それは読んでのお楽しみ。ある人物の志を受け取り、人間とは何かという哲学的命題を抱えながら、爽やかに成長していく久秀の姿が気持ちいい。だが現実は非情であり、久秀の理想は頓挫する。悪人との汚名も着せられる。理想に生き、理想に殉じた男の一生が鮮烈な印象を残すのだ。それはそれとして、久秀の悪人ぶりを伝える東大寺焼き討ちの場面で、感動する日が来るとは思わなかった。今村翔吾、やってくれる。

第百六十六回直木賞を受賞した『塞王の楯』は、職人の戦国史ともいうべき作品である。戦に巻き込まれ家族を失い、石垣を造る穴太衆になった匡介は、すべての城がどんな攻撃も跳ね返す石垣を持つようになれば、戦がなくなると思っている。その匡介の宿敵となる、鉄砲の製造で知られる国友衆の次期頭目・国友

『塞王の楯』
集英社
定価:2,200円

『じんかん』
講談社
定価:2,090円

彦九郎は、鉄砲という強力な武器により、みんなに恐怖を植え付けることで、戦がなくなると考える。二人の信念が激突する大津城の籠城戦は、とんでもない迫力だ。まるで矛盾を具現化したような戦いの先にある、真摯なテーマを読み取ってほしい。

今村翔吾でしか書けない斬新な物語を読みたい人に

単なるタイミングの問題だが、直木賞受賞第一作となったのが、文庫オリジナルの『イクサガミ　天』であったことには驚いた。なにしろ明治十一年を舞台にしたデスゲーム物語なのだ。破格の大金を得る機会があるという、ゲームの名は「こどく」。配られた木札を一点とし、それを集めながら、東京を目指せというのだ。訳あって参加者となった、京八流の使い手の嵯峨愁二郎は、十二歳の少女・香月双葉を見捨てることができず、手を携えて東海道を進んでいく。チャンバラに継ぐチャンバラでストーリーは爆走。これは凄い。京八流の後継者問題も関係して、物語の

『イクサガミ　天』
講談社文庫
定価:770円

行方は予断を許さない。しかも第二巻『**イクサガミ　地**』では、さらなる意外な展開が待ち構えているのだ。完結篇になるであろう、第三巻が待ち遠しい。

『**幸村を討て**』のタイトルにある幸村は、真田幸村のことである。ただし現在の歴史小説では、正しい名前である信繁が多用されている。それなのになぜ作者は、徳川家康と戦うため大坂城に入った信繁を、幸村と名乗らせたのか。実はそこに、深い企みがある。さまざまな人物の視点で語られる大坂の陣に参加した男たちのドラマは読みごたえ抜群。しかも彼らと幸村の絡みから、しだいに真田家の目指す場所が見えてくる。タイトルの意味が判明するラストにも愕然。手垢の付いた題材である〝大坂の陣〟も、作者が書けばこれほど斬新な物語になる。だから今村作品を読むのは止められないのだ。

　長篇中心の作者だが短篇集もある。『**蹴れ、彦五郎**』だ。作者がデビュー前後に執筆した八作が収録されている。この中で注目すべきは、第十九回伊豆文学賞 小説・随筆・紀行文部門最優秀賞受賞の「蹴れ、彦五郎」と、第二十三回九州さが大衆文学賞大

『幸村を討て』
中央公論新社
定価:2,200円

『イクサガミ　地』
講談社文庫
定価:935円

賞・笹沢左保賞受賞の「狐の城」だ。「蹴れ、彦五郎」は、戦国の名門・今川家を没落させた彦五郎（氏真）の人間性が、鮮やかに表現されている。織田信長の前で披露した蹴鞠を通じて、戦国の世を一蹴した、彦五郎の気概に胸が熱くなる。これが初めて書いた小説だそうだが、とんでもない完成度だ。豊臣秀吉の小田原征伐を舞台に、北条方の支城に籠城した北条氏規の矜持を描いた「狐の城」も素晴らしい。その後の作者の戦国小説への道筋は、最初から切り拓かれていたのである。

『茜唄』は、今村版『平家物語』だ。序と、ほとんどの各章の冒頭で、ある人物が西仏という僧に、『平家物語』を伝授する場面が描かれる。鎌倉時代になってからのことであり、伝授は秘密に行われている。その場面を呼び水にして語られるのは、絶頂期の平家一門が壇ノ浦の戦いで滅びるまでの経緯だ。主人公は、平清盛の四男で〝相国最愛の息子〟といわれた平知盛。戦のない世を創ろうと考える知盛の策や、壇ノ浦で披露される作者の奇想にはビックリした。平家一門の戦いも熱い。敗者の歴史を通じて、戦いのない世をどうすれば実現できるかという、雄々しき

『茜唄』（上・下）
角川春樹事務所
定価：各1,980円

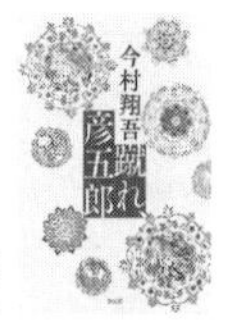

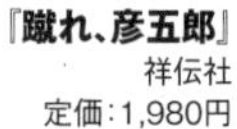
『蹴れ、彦五郎』
祥伝社
定価：1,980円

理想を描いた作品なのだ。

最新作となる『**戦国武将伝　東日本編**』『**戦国武将伝　西日本編**』も大作である。なにしろ全国四十七都道府県の地元の武将を主人公にした短篇四十七篇が収録されているのだ。この連載が「歴史街道」で始まったとき、あまりの壮挙（無茶ともいう）にラストまで完走できるかどうか危ぶんだものである。もちろんそれは杞憂に終わった。群馬県の長野業正を描いた「黄班の文」から、福岡県の立花宗茂を主人公にした「立花の家風」まで、どれもこれも面白い。超メジャーな武将からマイナー武将まで、四十七人を自在に使い、独創的な戦国物語を創り上げた、作者の豪腕に脱帽だ。頭から読んでよし、自分の出身県から読んでよし。戦国の日本と武将の生き方を、端から端まで堪能したい。

小説以外で「歴史小説」の世界を楽しむ

小説以外の著書も取り上げよう。『**湖上の空**』はエッセイ集だ。前半三分の一は、滋賀県の情報誌「パリッシュ＋」に連載し

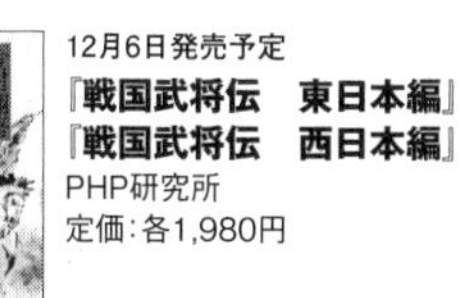

12月6日発売予定
『戦国武将伝　東日本編』
『戦国武将伝　西日本編』
PHP研究所
定価：各1,980円

たもの。京都生まれの作者だが、二〇〇九年に仕事で滋賀県に移ってから、住み続けている。理由は簡単。滋賀県が気に入っているからだ。そんな滋賀県への愛が、文章の節々から伝わってくる。また、家族の話なども、赤裸々に書いている。作者を理解する上で、必読の一冊だ。

『教養としての歴史小説』も、エッセイ集といっていいだろう。ただし内容は、歴史小説（時代小説も含む）の効用に特化している。小学五年生で池波正太郎の『真田太平記』に出合い、そこから歴史小説の世界に嵌っていった作者が、自己の体験を踏まえて歴史小説の効用を説明する。物語がいかに人間を豊かにしてくれるかを、分かりやすく教えてくれるのだ。また、歴史小説のガイドブックとしても使えるようになっている。

そうそう、作者は現代のエンターテインメント作家らしく、小説だけでなく漫画も大好きだ。自身の作品のコミカライズにも積極的である。最後にそちらにも触れておこう。**『童の神』**全六巻は、深谷陽が作画を担当。力強い絵で原作の世界を表現した。『じんかん』を原作にした**『カンギバンカ』**全四巻は、恵広史が

『教養としての歴史小説』
ダイヤモンド社
定価:1,760円

『湖上の空』
小学館文庫
定価:594円

作画を担当。内容に巧みなアレンジが加えられており、小説を知っている人でも、新鮮な気持ちで読めるだろう。『**くらまし屋稼業**』既刊三巻は作画をユウダイが担当、『**イクサガミ**』既刊二巻は作画を立沢克美（たつざわかつみ）が担当。どちらの作品も、原作のテイストを見事に表現している。こうしたコミカライズ作品も、今村翔吾の世界なのである。

『カンギバンカ（1）』（漫画版）
恵 広史（漫画）、今村翔吾（原作）
講談社
定価：495円

『くらまし屋稼業 1』（漫画版）
ユウダイ（漫画）、今村翔吾（原作）
KADOKAWA
定価：748円

『イクサガミ（1）』（漫画版）
立沢克美（漫画）、今村翔吾（原作）
講談社
定価：715円

『童の神（1）』（漫画版）
深谷 陽（漫画）、今村翔吾（原作）／双葉社
定価：770円

※定価は税10％です。

特別寄稿

『戦国武将伝　東日本編／西日本編』について

今村翔吾

Imamura Shogo

各都道府県で１人、武将を取り上げた掌編小説集
『戦国武将伝　東日本編／西日本編』が上梓される。
ときに笑え、ときに泣ける、心震えるエピソードを47も描く
という"前代未聞"の作品に挑戦された今村翔吾さんから、
読者に向けてのメッセージをお届けいたします。

皆様、こんにちは。今村翔吾です。

この度、ＰＨＰ研究所から『戦国武将伝　東日本編』『戦国武将伝　西日本編』が同時に刊行されます。

小説は目安として原稿用紙四〇〇枚以上のものが「長編」、二〇〇～三〇〇枚程度が「中編」、一〇〇枚以下のものが「短編」に分類されます。

さらに十枚から十五枚の小説は掌（てのひら）サイズという意味で「掌編」といいます。いわゆるショートショートと呼ばれるもので、こちらのほうが耳馴染（なじ）みするかもしれません。

歴史小説で掌編だけ集めた作品は皆無。しかも各都道府県の戦国武将を一人取り上げ、物語を紡いでいくというこの試みは、歴史小説界では史上初と断言します。

つまり二冊合わせて四十七作品が収録され

12月6日発売予定

『戦国武将伝　東日本編』
『戦国武将伝　西日本編』
PHP研究所／定価：各1,980円

今村翔吾（いまむら しょうご）
1984年、京都府生まれ。17年『火喰鳥 羽州ぼろ鳶組』でデビュー。18年「童神」で第10回角川春樹賞受賞（刊行時に『童の神』と改題）。2020年『八本目の槍』で第41回吉川英治文学新人賞、同年『じんかん』で第11回山田風太郎賞、21年「羽州ぼろ鳶組」シリーズで第６回吉川英治文庫賞、22年『塞王の楯』で第166回直木賞を受賞。他、著作多数。

ているのです。皆さんがお住まいの都道府県の作品も必ずあるということになります。

ご期待通りの武将が選ばれているのか、それともこんな武将がいたのかという新たな発見があるのか、楽しみに読んで頂けると幸いです。

自分で言うのも何ですが、四十七作品全て甲乙（こうおつ）つけがたい仕上がりになっていると思いますので、皆さんがお住まいの都道府県以外の小説も勿論（もちろん）、楽しめるはずです。

電車で少し移動する時、待ち合わせまでの時間、仕事や家事の隙間時間にも、一作読めてしまうというのも良いところです。一作ずつ順番に読んでいくのもよし、ランダムで読んでいくのもよし。様々な楽しみ方が出来る本になっていると思います。是非、読んでみてください。

おいち不思議がたり

誕生篇 第四回

あさのあつこ

Asano Atsuko

謎の男

美代が眉を吊り上げた。

「まあ、そんなことってあるかしら」

そう言った後、口元をきゅっと引き締める。

美代は、おいちの知っている中で一番、いや、おうたの次ぐらいに表情が豊かだ。喜怒哀楽を容易く面に出すことは無作法だ、はしたないと詰る向きもあるけれど、お美代は一向に意に介さなかった。

おうたは、むろん、周りが何を言おうと歯牙にもかけない。いつだって自分を押し通して、堂々としている。呆れるほど堂々としている。

「おいち、美代さんと義姉さんを一緒にしちゃあいかんぞ。美代さんは己に素直に生きているけれど、義姉さんは……」

「伯母さんはどうなの？　美代さん以上に素直だと思うけど」

「いや、義姉さんの場合は……」

「だから、何なの？」

「いや、とても恐ろしくて口にできん。ただ図太いだけだなんて言ったら、義姉さんにぶん投げられるのは目に見えてるからな」

「もう、父さんたら」

もう何か月も前だが、松庵とそんなやりとりをした。

松庵の言う通り、美代は素直だ。持って回った言い方も思わせぶりな身振りもしない。だから、一緒にいて楽しい。もっとも、美代に言わせると、

「おいちさんって変にややこしくないし、真っすぐだし、傍にいて楽だし楽しいわ」

と、なるらしい。

その美代が、おいちの話に眉を吊り上げ、口元を引き締めた。

驚きと好奇の心が綯い交ぜになった表情だ。

「殺された男ってのは一人なのよね」

今度は眉を寄せて、美代が尋ねる。おいちは、頷いた。

石渡塾の一室で、塾生たちは普段ここで食事をしたり、ちょっとの間休んだりする。この春入塾した若い塾生たちは、今、生薬屋の主から薬草についての教えを受けていた。その後は、長崎で通詞を務めた武士から阿蘭陀語を学ぶ段取りになっている。ここには、おいちも加わり、しっかりと学ぶつもりだ。

講義までの僅かな間、美代とおしゃべりするのが楽しい。美代は同志だ。同じ志を持っている。女の身で一人前の医者を目指す。いつか、病に苦しむ女たちのための療養所を作りたい。想いはある。でも、そこに行きつくまでの道のりの長さと険しさに、おいちはときに怖け、ときに後退りしそうになる。石渡塾に入り、夢が現の色合いを帯びてくればくるほど高揚しながら、恐ろしくもなるのだ。

あたし、ほんとうにやれるんだろうか。

そんなとき、美代と出逢えた。

おのれを恃みとしてこの道を歩む。己一人の足で、だ。けれど、同じように歩む者がいる。そのことの心強さが、おいちの歩みを支えてくれる。互いの夢を語り合ったわけではない。誰かに語れるほどの手応えを、おいちはまだ掴み切っていないのだ。摑めたら、確かな一歩を踏み出し、歩み始めたら、思う存分、美代と語り合いたい。

美代もまた、おいちと過ごす一時を楽しんでいるようだ。そして、本人は明言しないけれど、謎解きや事件が大好きなようでもあった。昨日の仙五朗とのやりとりを真剣な面持ちで聞いている。そして、眉を吊り上げ、口元を引き締めたのだ。

おいちはこくこくと数回、点頭した。

「そうなの、一人なの。五人も十人も殺されたわけじゃないのよ」

「そんな沢山の人が殺されたりしたら大騒動じゃない。もちろん、一人でも大事だけど。けど、それならおかしいわねえ。どうして、親方とご亭主の言うことが食い違うの」

前回までのあらすじ

おいちは、江戸深川の菖蒲長屋で医師である父・松庵の仕事を手伝いながら、医師になるため石渡塾に通っている。そして飾り職人の新吉と結婚し、子供を宿す。伯母のおうたは、戌の日に帯祝いをすると張り切っている。ある日、六間堀で若い男の死体が見つかる。男の懐からは、新吉が通う「菱源」の印が入った鑿と風鈴が出てきた。「菱源」の親方は、男は渡り職人の正助だと証言するが、新吉は疑念を抱く。

「そう、それ。それなのよ。あぁ、このお煎餅、美味しいわ」

「おいちさん、ダメよ。さっきからずっと食べてるじゃないの。もう駄目」

美代が煎餅を盛った器を横に回す。

「えー、ひどい。後一枚ぐらいいいでしょ。あたし、お腹が空いちゃって」

「駄目よ。このお煎餅、塩気が強過ぎるもの。身重な人は食べない方がいいわ。それより、おいちさん、どういう謎なの。どうして死体は一つなのに言うことが違ってくるのよ」

そう問い詰められても、おいちには答えようがなかった。当の新吉でさえ、はっきりとした答えを持ち合わせていないのだ。


昨日、新吉には着替えと弔衣を届けた。亡くなった正助は身寄りがただの一人もいないらしく、『菱源』で弔いを仕切ることになったのだ。深川元町の外れにある店は、暗く落ち着かない気配に満ちていた。

「悪ぃな。わざわざ、届けてもらって」

「ううん、当たり前のことだから。でも、大丈夫？　新吉さん、ずいぶんと疲れてるよね」

新吉の目の下には薄らと隈ができていた。肌もかさついて見える。

「うん……。おれより親方が、かなりまいっちまってる。正助は陰日向なく、よく働くし、腕も立つしで、親方、いい職人を雇えたって喜んでたからなあ」

「確か流れの職人さんだったわね」

「ああ、三月……いや、もうちょっと前かな。ふらっと店に現れて、雇って欲しいと頼み込んできたんだ。何でも働き口を探して、常陸から江戸に出てきたとか言ってたな。親方も初めは、乗り気じゃなかったんだ。身許がはっきりしねえし、請人もいねえしな」

「でも、雇ったのね」

「ああ、おれが……薦めたんだ」

「え、新吉さんが」

亭主を見上げる。新吉は隈のできた目元を僅かに歪めた。

「そう、おれが薦めた。正助の拵えたという簪を見せてもらって、それがなかなかの出来だったんだ。ちょうど『菱源』の職人が二人、立て続けに辞めちまった後で、幾らやっても仕事が減らないって、そんな有様だったし……」

「そうよねえ。新吉さん、このところ、ほんと忙しそうだったものね」

「おれ、正助はすぐに使えそうな職人で、ともかく手が足らないからと親方を説得したんだ。いざ、働いてみたら、正助はおれが思っていたより腕が良くて、気性も良くて、親方もすっかり気に入っちまって、このままずっと働いてくれたらいいなと、この前も親方と話していたところだったんだが……」

新吉がため息を零した。

「気性がいいって、どんな風に？」

「うん？」

「一口に気性がいいって言っても、いろいろでしょ。よく気が付くとか、優しいとか、図太いとか、柔術が得意だとか、正助さんて人はどんな風だったの」

新吉の唇がもごもごと動いた。

「……おいち、図太いのは気性がいいって内に入んのか？　柔術が得意なのは、まったく関わりないと思うけどな。いや、おれもお内儀さんは、いい人だとわかっているけど」

「ああ、そうね。いいの、いいの、どうしてここで伯母さんの顔が浮かんじゃったんだろう。ごめんなさい。あの、だから、正助さんの気性よ」

「正助か……うーん、おとなしかったなあ。物静かで騒いだりはしないけど、にこにこ笑ってることが多かった。急な仕事が入っても、文句も言わず、嫌な顔もせず、こつこつ熟してたし、仕上げは丁寧できっちりしてた」

「それだけ？」

「それだけって？」

新吉が首を傾げる。おいちは、小さく息を呑み込んだ。

新吉が語ったのは、正助という男のほんの一端に過ぎない。人の底は見通せないほど深い。暗くて、ごちゃごちゃと絡まり合って、本人でさえ気が付かない己がうずくまっていたりする。新吉は他人を探るような真似はしない。こいつはどういうやつだと訝しんだり、正体をあばきたいと望んだりもしない。自分の前にいる者をそのまま、受け止める。そんな新吉だから一緒になりたいと思ったのだ。

亭主の美点は重々、承知していた。

けれど、穿たねばならないときは穿つ。人を穿ち、奥にあるもの、裏にある姿を引きずり出さねばならないときも、あるのだ。しかし、それは、新吉の役目ではない。

老獪な岡っ引の眼差しを思い出す。

鋭くて、揺るがなくて、冷たい。人の情を寄せ付けない冷たさだ。ああいう眼を持つ者にしか、人を穿つことはできないのだ、きっと。

おいちは、別の問いを新吉にぶつけてみる。

「ねえ、新吉さん。新吉さんは、今でも殺された人が正助さんじゃないと思ってるの」

「え？　あの……それは……いや」

新吉は俯(うつむ)き、首の後ろをがりがりと掻(か)いた。

戸惑(とまど)っているのだ。

「いや、おれ、どうしてあんなこと言ったのか……。仏(ほとけ)さん、どう見ても正助なんだが。何だか、ぱっと見たとき、違うって感じちまったんだ」

「それは、どうして？」

「どうしてって……うーん、よくわからねえんだが、どことなく違っているような気がして、でも、そんなこと、あるわけないから、おれの思い違いだったんだろうな」

「新吉さん」

おいちは亭主の手にそっと触れた。細(こま)やかな細工物(さいくもの)を生み出す指は思いの外(ほか)太く、無骨(ぶこつ)でありながら、信じられない程しなやかだった。

「あたしね、知ってるよ。新吉さんが、容易く思い違いする人じゃないって。むしろ」

もう一度、亭主を見上げ、続ける。

「むしろ、慎重(しんちょう)に丁寧に人と接しているでしょ。どんな相手でも、こうだって決めつけたりしないよね。ほら、いつか、あたしが患者さんの愚痴(ぐち)を言ったことあるでしょ。『太和屋(たわや)』のご隠居さまのこと」

「え？　あ……うん、あったな」

『『太和屋』のご隠居さま、ものすごく気が短くて、怒りん坊で、我儘で、あの日も薬が苦いって大声で喚き立てたの。あたし、もう、うんざりだって話をしたんだよね。もう二度と来てほしくないって。そのとき、新吉さん言ったじゃない。ご隠居さま、どうやったら自分の気持ちをわかってもらえるか、その手立てがわからなくなってるんじゃないか。だったら、その手立てを教えてあげちゃどうだって」

「そんなこと言った気もするけどな」

新吉は確かに言った。その一言に、おいちはとんと頭を叩かれた気がしたのだから。

ご隠居の横暴な物言いや粗暴なほどの振る舞いに腹を立てはしたが、ご隠居の苛立ちや戸惑いに心を馳せようとはしなかった。そのことに気付かされたのだ。

「あたしね、それで次の時、ご隠居さんにちゃんと伝えられたの。『ご隠居さま、今、辛いことや困っていること、ありますか。あたしでよければ聞きますから、話してくださいな。ゆっくり、ゆっくりでいいですよ』って。ご隠居さま、いろいろ話をしてくれて……、そりゃあ話はあっちこっちに飛んだけど、あたし隣に座ってずっと聞いてたの。そしたら、ずっと頭風がしていて夜がちゃんと寝られないのが辛かったんだとわかったの。ね、それって、すごいでしょ。新吉さんは、あたしみたいに、ご隠居さまを怒りん坊の我儘なお年寄りって決めつけなかったの。決めつけなかったから、ご隠居さまのことがわかったんだわ」

「は？　え、あ、うん、そう言ってくれるのは嬉しいけどよ、それと正助の件とがどう繋がるんだ？　まるで、関わりないよな」

「だから、親方は決めつけちゃったのよ。殺されたのは正助さんだと。決めつけて、信じ込んじゃったの。でも、新吉さんは、そうじゃなかった。決めつけずに、じっくり仏さまを見たんじゃない？　それで、これは違うと感じたんでしょ」

「いや、そんな大層なもんじゃないって」

新吉がかぶりを振った。

「正直、おれ、血だらけの死体をじっくり眺めるなんて真似、しねえよ。顔は歪んでるし、肌は青いを通り越して白くなってるし、おまけに血の臭いがひどくて気分が悪くなっちまって、なんせ喉から下が真っ赤に染まってんだ」

血は時が経てば経つほど、腥くなる。おいちには馴染みの臭いだ。

「じゃあ、どうして違うって思ったの？」

「それは……うーん、どうしてだろうな。ほんとに何となくで……。正助はおれの斜め向かい側で仕事をしていた。だから、仕事の度に横顔を見るともなく見てたんだが……」

「その横顔と違ったの」

「あ、いや、違っちゃいねえんだが。その……同じとも思えなくて……」

新吉の物言いは、ひどく歯切れが悪かった。本人が摑みかねているのだ。

おれは、どうして違うと感じたんだ？

「新吉、新吉」

『菱源』の中から、新吉を呼ぶ声がする。

あ、いけない。みんな、忙しいんだ。

おいちも手伝いをするつもりだったが、内々だけの弔いにするからと『菱源』から丁重に断られた。おそらく、身重な身体を労わってくれたのだろう。

「ごめんなさい。じゃあ、あたし帰るわね。あまり無理をしないでいてね」

踵を返そうとしたとき、新吉が呟いた。

「傷かな」

「え、傷？」

「うん、実は、あの日、正助は怪我をしたんだ。鑿の先でここんとこを」

新吉は自分の左手の甲を指さした。

「やっちまって、そんなに深くはないが、二寸ぐらいの傷を作ったんだ」

おいちは目を見張った。

「死体には、その傷がなかったのね」

「いや、あった」

　あっさりと新吉が否む。

「えー、あったの？　じゃあ、もう正助さん本人に間違いないじゃない」

「うん、でも、その傷が少し斜め過ぎる気がしたんだ。おれ、正助の傷の手当てをしてやったからなあ。そのときは、もう少し横に真っすぐだった気がして……あぁ、でも、わかんないなあ。血が出てたから傷の形なんてわからないし、死体の方も血だらけで、手の甲なんてべっとり血が付いてて確かめるとこまで、いかなかったしな……」

　新吉の声がどんどん細くなっていく。自信がないのだ。

「そのこと、親分さんに伝えた？」

「いや、伝えてないな。おれ自身、おいちに尋ねられて、ふと思い当たったぐれえのもんだから。けど、こんな曖昧な話をしても親分を戸惑わせるだけだぜ、きっと」

　仙五朗は戸惑ったりしない。途方に暮れることもない。あの眼差しと思案の力で、曖昧なものを明らかにし、謎を解き明かしていく。

「新吉、新吉、いねえのか」

「あ、へい。すぐにいきやすよ」

新吉がちらりと、おいちを見やる。おいちは頷き、軽く頭を下げた。

「忙しいよね。じゃ、あたしは菖蒲長屋で待ってます。新吉さんも休めるときは休んでね。あまり気を張らないでよ。余計に疲れるから。じゃあね」

新吉の眼つきと口調が引き締まった。

「おいち、今回は駄目だぜ」

「え、駄目って?」

「親分の仕事に首を突っ込むな」

新吉らしくない押さえつけるような言い方だった。

「わかってるな。自分一人の身体じゃないんだ。ちょっとでも剣呑な臭いのするところには近づくんじゃねえぞ」

一瞬、息が閊えた。それを無理に呑み下し、おいちは微笑む。

「やだ、新吉さん、何を言ってるの。親分さんはお江戸一の岡っ引だよ。首を突っ込むもなにも、あたしなんかにできる……」

わけがないでしょ。その一言がまた、喉の奥に閊える。

これまで仙五朗と一緒に幾つかの事件に関わってきた。あるものは悲しく、あるものは惨く、あるものは哀れな、けれど救いのある結末を迎えた。

「今度の件も、おいちさんの力に助けてもらいやしたよ」

仙五朗はときどき、そんな台詞を口にする。
おいちの力、例の力、他の者にはない不思議といえば不思議な力のことだ。見えないはずの人を見、聞こえないはずの声を聞く。それは、鮮やかでも、くっきりともしていない。朧で微かで、見定めるのも聞き取るのも難いものだ。でも、何かを訴えている、縋っている、頼っている。現の人に伝える術のない誰かが、おいちに訴え、縋り、頼ろうとしているのだ。

誰かは死者であったり、黙して語れぬ者であったりする。世間は幽霊とか霊魂とか呼ぶのかもしれないが、おいちには一人一人に名があり、背負ってきた罪や苦労や生き方がある確かな〝人〟だった。

その人たちの語る一言が、見詰めてくる眼差しが、事件を解く糸口になった。あるいは、絡まり合った謎を解き、真実に導く助けとなったことが、これまで何度かあった。おいちは、仙五朗にだけは、包み隠さず全てを伝えていたのだ。

進んで仙五朗の手助けをしようとも、できるとも考えたことはない。おいちは、自分に助けを求めてくる〝人〟の手を振り払いたくないのだ。しっかりと摑み、力の限り救いたい。

その〝人〟が、すでにこの世の者でなくとも、だ。

だから、仙五朗と事件の渦に飛び込んでいく。誰かを救えると信じて。

いや、それだけじゃないかも。

おいちは唇を噛み締める。

おもしろいのだ。

仙五朗といると、人の起こすさまざまな事件に出くわす。怨み、嫉み、嘆き、呪い、悔いや落胆。人のおぞましい、哀れな一面とともに、花のように芳しい優しさや気高さ、どんなときも信じ合い励まし合える強さと情の深さ、そんなものを知ることができる。

人は百花繚乱だ。毒を含んだ花も薬に変わる花も、日陰に咲く花も、光の下で花弁を開く花もある。しかも、一人の内に様々な花が芽吹き、育ち、花咲き、実を付け、枯れていくのだ。

おもしろい。おもしろい。

人のおもしろさに、ついつい、のめり込みそうになる。

新吉は、おいちの昂ぶりを見抜いていた。そして、戒めてきたのだ。

「おいち、今回は駄目だぜ」と。

おいちは自分の腹にそっと手を当てた。

そうだ、今はこの子がいる。おぞましくて美しいこの世に、生まれ落ちようとする命がここに宿っている。何より、誰より、おいちが守り通さねばならない命だ。

「わかってるわ、新吉さん」

見詰めてくる男に、穏やかな笑みを返す。

「この子がちょっとでも危うくなるような真似、しない。金輪際、しない。約束する」

新吉がほっと息を吐いた。

「そうか、何か安心した」

「もう、新吉さんたら、あたしのこともっと信用してよ。これでも、医者の娘よ。自分の身体のことぐらい、ちゃんとわかってるから」

本当は、「あたしは医者よ」と断言したい。が、そこまでの自信はなかった。父に追いつくためには、学ばねばならぬことが山積みになっている。藍野松庵の背中は、遥か遥か前にあって、指先すら触れられない。

「そうだな。女房のこと信用しなきゃな。頼むぜ、おいち」

新吉の指先がおいちの頬に触れた。その指を引っ込め、新吉が背を向ける。

足元を吹き過ぎていく風が、小さな旋毛になり、おいちの裾を翻らせた。


「あらま、そうなの。ふーん、ごちそうさま」

美代が肩をすくめた。

「ごちそうさまって何よ?」

「お惚気(のろけ)をたっぷり聞かせてくれて、お腹いっぱいってこと」

「え、あたし、惚気てなんかいないでしょ。あったことをそのまま話したんじゃない」

「はいはい。おいちさんと新吉さんの話って、何でも惚気になっちゃうのよ。ほんと仲が良くて、羨(うらや)ましいでーす。あ、でも、新吉さん、昨日も帰ってこられなかったのね」

「うん。さすがに今日は帰ってくると思うけど、きっとくたくたになってるでしょうね」

「まあ、奥方さまとしては労わってあげなきゃいけないわよ。あーあ、いいなあ。仲の良い夫婦ほど、見ていて羨ましいものはないわ。まっ、あたしは前の亭主でこりごりしてるから、所帯を持つ気はないけどねえ」

美代は夫からも夫の両親からも、医者になる夢を打ち砕かれそうになった。女の身で医学を学ぶこと、医者として生きることを全て否められ、禁じられ、嫁(とつ)ぎ先を飛び出したのだ。

「ほんと、あのとき思い切ってよかったと、しみじみ思うわ」

美代は煎餅を一枚、音を立てて齧(かじ)った。

「美代さん、一人で食べないで、あたしにもちょうだいよ」

「だーめ。塩気の取り過ぎに気をつけましょう、よ。あたしが一人でいただきます」

「もう、意地悪なんだから」

美代はくすくすと軽やかに笑った後、「でもね」と呟いた。

「でもね、ほんとうのところ、どうなのかしら。その正助さんて人、殺されたのか、殺されていないのか。どっちになるの」

「ええ、たぶん、新吉さんの勘違いってことで御終いになると思う。新吉さん本人が迷っているぐらいだから……。それに、殺されたのが正助さんじゃなかったら、あの仏さまは誰？　ってことになるでしょ」

「そうよね」

ばりっ。美代の白い歯が煎餅の端を齧る。いい音がした。

「そんなの無茶苦茶、おかしいわよね。『菱源』の親方は正助って人だと認めてるんだしね。赤の他人なら認められるわけもないし……」

「それに、一番考えなくちゃならないのは下手人なのよね」

「下手人……。そりゃあそうよね。誰が殺されたかじゃなくて、誰が殺したか。そこのところが肝要に決まってるものね」

美代は横目で、おいちをちらりと見やる。

「仙五朗親分、どうしてるの？」

「どうしてるって……わからないわ。今日は逢ってないし……」

「松庵先生、結局、夜まで帰ってこなかったんでしょ」

「みたい。あたし、先に引き上げたから、いつ帰ったのかわからないの。たぶん、木戸が閉まるちょっと前じゃなかったのかな」

「そんなに、遅くなったの？　で、なにをしていらしたの」

「美代さん、ちょっと伯母さんに似てきたみたい」

「え？　何て言ったの。聞こえなかったけど」

「あ、いえ。たいしたことじゃないの。えっと、父さんが何をしていたかって？」

「そうそう。親分さんと出て行ったじゃない。遺体の傷を確かめに行ったのよね。それって、どうしてなの？　匕首とか包丁とかなら、親分さんがわざわざ検分を頼みにきたりはしないわよね。親分さんでも首を捻るような傷って……なに？」

　美代の双眸が煌めいている。こういうところも、おうたに似ている。

　おいちは首を横に振った。

「わからない。今朝、父さんと顔を合わせたけど何も言わなかったもの。それで、兄さんとごしょごしょ何か話をしたりしてた。ちょっと、変な感じがしたかな」

「あら」

　美代が瞬きする。それから、すっと身を寄せてきた。

「おいちさん、尋ねなかったの。昨夜はどうだったんだって」

もう一度、かぶりを振った。

「尋ねない。親分さん絡みのことは迂闊に尋ねられないのよ」

「え、どうして？」

「どうしてって、そう思えるの」

松庵は秘密をちらつかせて喜ぶような気性ではない。だから、何も語らないのなら、語れないのだ。黙らざるを得ないから黙っている。これまで、ずっとそうだった。そして、打ち明けられるときがくれば、すぐに、焦らすことなく話してくれるはずだ。

よく、わかっている。

ただ、わかっていることと気になることは別だ。気になる。

松庵と十斗が難しい顔つきで話し込んでいた、その中身が気になる。

「気になるなあ。松庵先生と十斗さん、何の話をしていたのかしら」

「そうなのよ、二人でとっても真剣に……あれ、美代さん」

「うん？　なに？」

「今、兄さんのことを名前で呼ばなかった？　十斗さんって」

美代の黒目がうろついた。ついてもいない煎餅の欠片を払うように、口元を拭く。

「え、あら、そ、そうかしら。田澄先生ね。田澄先生。ええ、田澄先生よ。ほら、松庵先生がお名前を呼ぶでしょ。十斗、十斗って。それで、ついつい、耳に馴染んじゃって。あはっ、失礼よねえ。ほんと田澄先生に失礼だったわ。ごめんなさい」

「ふーん、ついついねえ。何か怪しいけど」

「怪しい？　何が？　やだわ。おいちさん、あたしたち、今、殺しの話をしてるのよ。ね、殺しの話、しましょうよ。あぁ、何か口が淋しくなっちゃった。もう一枚、いただこうかな」

ばりっ、ばりっ。美代は煎餅をきれいに平らげ、さらに手を伸ばそうとした。

「美代さん、そこまでにしといて。他の塾生の分がなくなるでしょ」

「あ、そうか。でも、美味しいわよね、この煎餅。味が二種、あるし。飽きずにいくらでも食べられちゃう。ほんと、ご用心をだわ」

「え、そうなの。気が付かなかった」

「甘辛いのと塩気が勝ったのと二種あるでしょ」

おいちは赤い塗の菓子器に盛られた煎餅を見詰めた。

よく見れば、確かに色合いが違う。

「甘辛いのに比べて、塩気のものは数が少ないわね」

「うん？　あ、そうよ。あたしが甘辛いの好きだから多めに買ってきてもらったの。でも、それがどうかした？」

「いや、別に……それで、兄さんの話だけど」

「殺し、よ。誰が殺したのか。何で殺したのか。謎はそこから始まるのよ」

「美代さん、必死に誤魔化してない？」

「ないわよ。全然、ないわよ。それより、おいちさん、あたし、もう一つ、謎があると思うんだけど。いえ、たいしたことじゃないけど」

「風鈴ね」

美代がまともに、見据えてきた。長い睫毛が上下する。

「おいちさんも……考えてた」

「ええ、どうして、遺体の懐から風鈴なんか出てきたのかしら」

「『菱源』の親方にも新吉さんにもわからないのね」

「ええ、正助さん、店を出るときは、そんなもの持っていなかったって。それは確かだって」

チリーン、チリーン。

涼やかな風鈴の音が耳奥によみがえってくる。

美しい音に、なぜか背筋が震えた。

〈つづく〉

世界はきみが思うより

第四回　木曜日のサンデー（後編）

寺地はるな
Terachi Haruna

二日酔いとか、だいじょうぶですか？

翌日、水田さんからそんなメッセージが届いた。昨日は楽しかったです、とも書いてあったけど、また会いましょうとはひとことも書いてなかった。そりゃそうやろ、とわたしは思った。そりゃそうやろ。わたしが逆の立場だったとしても、こんな女にまた会いたいなんて死んでも思わんわ。

そのまま、一週間が過ぎた。今日は、元木さんは欠勤している。来週まで出てこれないという。例の、と上司が眉をひそめて言った。ああ例の、とわたしも頷く。

世界中で爆発的に感染者を増やした「例の」ウイルスは、今もまだ存在している。みんななかったことのようにふるまっているけど、たしかに存在しているし、なにか特殊な行為をしたわけではなくても感染することはある。

「元木さんって、実家遠かったよね」

わたしがなにか答える前に、男性の同僚が「このへんに土地勘ないって言ってました」と答えた。

「え、そうなんですか？」

「九州？　あ、山口？　なんかそのへん」

ずっと机を並べて働いていたのに、わたしは元木さんのことをよく知らない。住んでいるアパートの場所ぐらいは知っているけど、遊びに行ったことはない。だいじょうぶかなあ、という上司の呟き（つぶや）を、聞こえなかったふりをしてやり過ごす。

「かわいそうですね、元木さん」

応えないわたしにかわって、同僚が上司に言った。病気で寝こんでいてつらいだろうからかわいそう、という意味なのだろうが、なんとなくひっかかる。かわいそう、なんて、めったに人に向かって使っていい言葉じゃない。

上司は去年、この同僚とわたしをくっつけようとした。わざとふたりきりになる仕事をあてがってきたり、飲み会の帰りに同僚がわたしを自宅まで送るようにしむけたりした。でもわたしと彼のあいだに恋が芽生えることはなかった。そんなことは別段めずらしいことでもなんでもないはずなのに、上司たちは不思議がった。どうして？　彼、いい人じゃない。桂さんは理想が高過ぎるんじゃない？　ねえ、どうして？

「ケイ、ヤーナは？」

カウンターに身を乗り出すようにして、ジャスミンが訊ねてくる。すこし考えて、それが元木さんの下の名だと気がついた。桂にくらべると「彩奈」はずいぶん発音しづらい名のようで、どうしても「ヤーナ」という発音になる。

「お休みなの。病気」

ジャスミンはかたちの良い眉をひそめて、だれかいる？　と訊ねる。元木さんのそばに誰かついているのか、という意味だろう。

「わからない」

「だれか、いっしょにいてあげないと」

でも誰も接触できないよ、と辛抱強く説明したが、ジャスミンは納得しなかった。ほうっておくとジャスミンは強引に元木さんのアパートに行ってしまいそうだったので、じゃあわたしから連絡するから、と約束して、追い立てるようにカウンターから引きはがす。日本語教室の開始時刻を七分も過ぎていた。

仕事を定時で切り上げ、元木さんに「だいじょうぶ?」とメッセージを送る。だいじょうぶなわけはないけど、他に適当な言葉が見つからなかった。手の中でスマートフォンが震える。元木さんが電話をかけてきたのだ。

「ごめんね、迷惑かけて」

「謝る必要ない」

元木さんの声は今にも消え入りそうで、「謝るようなことじゃない」と力強く繰り返した。ただでさえ体調が悪いのに、そこに申し訳ないという感情が絡まると、よけいにつらくなる。

「お互いさまやって」

何度も言うと、ようやく元木さんが「ありがとう」と笑った。熱はそれほど高く

前回までのあらすじ

「国際交流プラザ」で働く桂は、「きれいなもの」が好きなあまり、太ることへの嫌悪感を抱えながら生活していた。そんなある日、自分が撮影した写真が原因で、いとこの同級生である道枝くんを、傷つけてしまったことを知る。そんな自身への罰として、桂はアプリで知り合った水田という男性と、一度食事に行くことを決める。その席で飲み過ぎてしまった桂は、記憶も曖昧なまま帰宅したのだった。

ないけれども倦怠感があり、朝からずっと横になっている、とのことだった。水やレトルトのおかゆなどはネットスーパーで手に入れたから、なにも心配いらないという。

「そうなん？　なんか、他にいるものとかない？」

すこしの沈黙のあいだ、音量をしぼったテレビの音が電話の向こうから聞こえた。

「ないけど、もうすこし話してほしい」

元木さんは、意外なことを言い出す。

駅前のベンチに腰を下ろして、スマートフォンを右から左に持ちかえた。お酒の缶を手にしたおじさんや肩にエコバッグを提げた女の人や塾に向かうらしい小学生で駅前は騒がしかった。必死で元木さんの声を聞き取ろうと、スマートフォンを耳に押しつける。

「ジャスミン、心配しとったで」

「ああ、ジャスミン」

わたし一回泣かせちゃったことあるんだよね、あの子を、と元木さんが言う。苦しげな息の下で。

「泣かせた？」

「そう。わたし、両親がもう死んでて、きょうだいもいないんだけどね。べつに不幸話でもなんでもない、たんなる自分の現状なんだけど、それをジャスミンになにげなく話したら、泣いちゃって。あの子は八人きょうだいで育ってるしさびしがりやっぽいし、孤独イコール不幸、と感じるのかもね」

「八人ってすごいね」

「うん。でもね、わたしほんとうにさびしくはないんだよ」

強がっているようには聞こえなかった。元木さんは強がる必要がないぐらいに強い人なのかもしれない。そうであってほしいと、わたしが勝手に期待しているだけなのかもしれない。

目の前を男女のふたり連れが通り過ぎていく。女のほうが男の片腕に自分の両腕を巻きつけるようにして、歩くというよりはもつれあうようにして進んでいく。駅前の広場に設置されたからくり時計から、十八時を告げるメロディが鳴った。

「小さい頃、熱出して学校休んだ時とかに母親が隣の部屋でテレビ見たり、家事してる物音聞くと安心した。人の気配があると安心するから、もうすこし喋(しゃべ)って」

わたしは子どもの頃、めったに学校を休まなかった。母は近所のスーパーで働いていて、子どもの誰かが体調を崩(くず)すと、困った顔をした。仕事を休まなければならなくなるから。父は困った顔をしない。父が仕事を休んで看病をする、という選択肢がそもそも存在しなかったから。わたしは熱があっても、母には言わなかった。手のかからない子。いつもそう言われていた。当時はほめ言葉だと思っていた。

「あとね、風邪ひいた時だけ食べさせてくれるアイスクリームがあったんだ」

「どんなの?」

ケーキみたいになってるやつ、と元木さんは言う。薄いチョコレートとアイスクリームが層になっているのだと。わたしはそのアイスクリームを知らない。母が買うのは一リットルパックのアイスクリームだけと決まっていた。

「あれ、今もたまに食べたくなるけど、うちの近く、あんま売ってないし」

「さびしい」はないけど、「なつかしい」はいっぱいある、と笑って、元木さんは電話を切った。さんざん眠ったから眠くないけど、眠ったほうがはやく治る気がするから眠る努力をする、と言い残して。


スマートフォンをバッグにしまって、すぐ目の前のコンビニに入ってみた。ふだん、アイスの売り場には用がない。覗(のぞ)きこんでみたが、それらしきものは見当たらなかった。ケーキみたいになっていて、薄いチョコレートとアイスクリームが層になっている、と元木さんは言っていた。パッケージにチョコレートケーキが描かれたアイスクリームを見つけたが、これではないような気がする。

思い切って、駅の裏側のコンビニに足を伸ばした。その先のスーパーマーケットにもどこにも、元木さんの言う通り、売っていなかった。こうなると、どうしてもそのケーキみたいなアイスクリームを見つけたくなってくる。

自分の服装を見下ろす。いつものブラウスとパンツに足元はフラットシューズだ。ランニングシューズよりは走りにくいけど、パンプスよりはずっとましだ。うん、走れる。バッグはショルダーだけど、リュックにできる。ネットで購入する時に「ショルダーとリュックと手提げの3way」と書いてあるのを見ながら、でもこういうのってぜったいに三通りの使いかたはせんのよな、だいたい1wayで固定よな、と思ったものだが、思わぬところで3wayの恩恵にあずかった。ひもを調節して、背負ってみる。うん、これならいける。大きく息を吐いて、走り出した。隣町のスーパーマーケットは二十四時間営業で、商品の種類が豊富だと聞いたことがある。

線路沿いを、まっすぐに走る。フードを被った男が自転車にのって、正面からやってくるのが見えた。

「桂さん？」

男はなぜか、わたしの名を呼ぶ。ぎくりとして足を止めると、男ががばっと勢いよくフードを脱いだ。水田さんだった。

「どうしたんですか?」

説明しようとしたが、息が切れて、うまくいかない。

「困ってます?」

水田さんは心配そうに首を傾げている。

「違い、ます」

いや困っているといえば、困っている。元木さんのことと、元木さんが食べたがっているアイスクリームが実際どういうものかわたしは知らない、ということを説明した。呼吸を整えながら話したから、けっこう長くかかった。

「それは、間違いなく『ビエネッタ』というアイスクリームですね」

食品卸売りの会社に勤めている水田さんは、商品名のみならずメーカー名まで教えてくれた。その商品はわたしが行こうとしている二十四時間営業のスーパーにはないだろう、ということも。

「そうなんですか」

「おれ、知ってますよ。売ってるとこ」

水田さんが説明するその店を、わたしは知らない。道を説明しようとして、水田さんは自転車の荷台を指さした。

「連れていきますよ。乗ってください」

「や、いいです」

　走ります、と言うと、水田さんはびっくりしたように、わたしと自転車の荷台を交互に見た。この荷台になにか気に入らないところでもあるのだろうか、と検分するような表情だった。

「遠いですよ、けっこう」

　走ります、と繰り返すと、あきらめたように頷く。

「わかりました。じゃあ」

　ななめうしろから自転車に乗ってわたしのあとをついてくる水田さんに言いたいことがたくさんあった。でも「連絡くれませんでしたね、いや、べつにほしかったわけじゃないですけど。わたしはあなたのことぜんぜん好きじゃないし興味もないし、でもあなたのほうから拒まれるのはなんとなく腹立つものですね」なんていうむちゃくちゃな本音を口にするべきではないことぐらいはわかる。

　走って、走って、疲れたら、歩いた。自転車にまたがった水田さんはななめうしろから「そこ、右です」とか「あの横断歩道渡ります」とか、声をかけてくれる。

「フォームがきれいですね」

　走りかたをほめられたのははじめてだった。いつも走ってるんで、と肩をすくめる。

「ビエネッタ、おいしいですよね。見た目も味も高級感あって。子どもの頃、ひと箱まるごとひとりで食べるのが夢でした」

走りながら振り返ると、水田さんはなつかしそうに目を細めていた。わたしは、という声が掠(かす)れた。左足の親指に痛みを感じ、ちょっとすみません、と断って靴を脱いだ。いつのまにか入っていた小石を取りのぞいて、歩き出す。

「そのアイスクリーム、わたし見たことがなくて」

「ああ、そうなんですか」

「うち貧乏だったんです」

誰にも話したことのないことなのに、唇(くちびる)から勝手にこぼれ出た。

元木さんと水田さんがしきりになつかしがる、ケーキみたいなアイスクリームを、わたしは知らない。母がファミリーパックのアイスを買うのは木曜日と決まっていた。その日が、母が勤めているスーパーマーケットの特売日だからだ。兄とわたしと妹はめいめい自分専用のガラスの器にアイスクリームをひとすくい入れてもらい、自分でトッピングする。ジャムをのせたり、くだいたビスケットを敷き詰(し)めたり、マーブルチョコレートを散らしたり。こういうデザートのこと「サンデー」って呼ぶんやで、と母が教えてくれた。木曜日なのにサンデー。わたしたちきょうだいは母の言葉を繰り返して笑った。

「楽しみにしてたんです、すごく」

それなのに、わたしは家族と一緒にサンデーを食べなくなった。たしか、小学校高学年頃からだったはずだ。生理が来て、すこしずつ自分の身体が丸みを帯びていくのが嫌だった。いらん、太るし。わたしがそう言った時、母がどんな顔をしていたのか、わたしは知らない。背を向けて喋っていたから。

「太るのが怖くて、サンデーを食べなくなりました。そうするとね、今までどおりに食べてる家族が、なんだかバカみたいに見えてくるんです。だからそんなに太ってんねんで、って。最低ですよね」

水田さんはなにも答えなかった。聞いていないわけではない、ということはわかった。振り返った時、頷いてくれたから。

「あ、ここです」

個人営業のスーパーマーケットだと水田さんは言ったが、ぼろぼろの青いひさしには「食品の店　たむら」と書かれている。棚に缶詰や小麦粉の袋が雑然と並べられていて、半分シャッターが閉まりかけていた。もとは白かったのだろうが黄色く変色したレジスターの脇に立っていたおじいさんが「水田くんやないか」と顔をほころばせる。奥からでてきたおばあさんも「あら、デート?」と笑っている。仕事で出入りしているだけのわりには、ずいぶん親しげだった。

水田さんは分厚い霜の壁ができたアイスクリームのケースから『ビエネッタ』らしき箱を取り出して、「これですよ」とわたしに掲げてみせる。あまりに得意げだったので、ついふき出してしまった。おじいさんは、わたしたちがこれからふたりでそれを食べると思っているらしい。消費税分まけとくわな、と小声で言っているのが聞こえた。

元木さんのアパートまで走るつもりでリュックのベルトを調節していたら、水田さんが自転車の荷台を指さした。

「こんどこそ乗ってください。はやく届けないと、溶けますよ」

それもそうだと素直に頷く。自転車の荷台にまたがり、水田さんの腰につかまった。背中があまりに広くて、前がまったく見えない。

「重いでしょ、わたし」

「なんにも載せてないみたいに軽いですよ」

その言葉どおり水田さんは軽々とペダルを踏み、すごいスピードで進んでいく。でもほんとうはわたしが軽いからじゃなくて、水田さんに体力があるからだ。

「このあいだも、わたし重いから、って言ってましたね」

はじめて会ったあの晩に、水田さんは酔ってテーブルに突っ伏したわたしのためにタクシーを呼んでくれたらしい。気をつけて帰ってくださいね、とわたしを立ち上がらせようとしたら、わたしは水田さんの手を振り払い「わたし重いから、自分で立ちます」と大きな声で言ったらしい。まったく覚えていない。

「わたし太ってるから、って。へんなこと言う人だな、と思いました。こんなに痩(や)せてるのになんで、って」

「ほかに、なにか言ってました？」

訊ねながら、どうかよけいなことを喋っていませんように、と祈った。

水田さんはすこし黙ってから、「高校生の男の子の話とか」と呟いた。俯(うつむ)いたら、フラットシューズの側面が黒く汚れているのが見えた。走っているあいだについた汚れかな、とどうでもいいことを考えた。そうでもしないと、恥ずかしさで息がつまりそうだ。

「桂さんはずっと、わたしは醜(みにく)い、汚(きたな)い、って何度も繰り返してました。あ、この道、まだまっすぐでいいんですかね？」

「その交差点で左折してください」

道順を説明する声が震えた。信号が青になるのを待つあいだ、水田さんは黙っていた。

「おれ、友だちのお母さんとつきあってたんです」

水田さんはその唐突な告白を、話の続きみたいななめらかさで口にした。わたしは友だちのお母さん、と繰り返すことしかできない。

「ぜんぜんきれいな人とかじゃなかったです。旦那さんと仲悪くて、太ってて、いつも不機嫌そうで。なんか、成り行きでそういうことになっちゃって、そのあともずるずるだらしない関係を何年も続けて」

なんと答えていいのかわからなかった。この大きな体をして、箸の使いかたがじょうずで、取引先のお年寄りにかわいがられているらしいこの人の「だらしない関係」の詳細が、どうにもうまく想像できない。

「こういうのはだめだ、って思って。ちゃんと同世代の女の人とつきあわなきゃって。それで、マッチングアプリ。でもなんか違うなって思うばっかりで」

難しいですね。そう続けてから、水田さんは前を向いたまま「ごめんなさい」と頭を下げた。「なんか違う」わたしを自転車の後ろに乗せて走ってくれるこの人が謝る必要なんてないのに。

「いいんです」

わたしが言っても、返事はなかった。

「大丈夫です、水田さん」

つかまっていた水田さんの身体からすこし力が抜けたのがわかった。

「たいていの人は、汚いんですよ」

水田さんの言葉は、わたしを救わない。心をほんのすこし軽くしてくれる効果すらない。でも、と思うのと同時に、水田さんが「でも」と続けた。

「でも恋愛感情とはなんか違うけど、桂さんと一緒にいるのは、なんかいいんです。勝手なこと言ってますね。すみません」

考える前に、「わたしもです」と答えていた。なんかいい。恋のはじまりのときめきとは、たしかに違う。素敵なことが起こりそうな心の弾（はず）みもない。ただ、この人の前では嘘をつく必要がないというたしかな手触りの実感だけがある。

「さっき桂さんが言ってたサンデー、食べてみたいです」

「おいしいですよ、あれ」

ひとくちぐらいなら、わたしも食べたいかも、と続ける。

「これ届けたら、アイスを買っていっしょに食べませんか」

すこし考えて「いいけど、ひとくちぐらいしか食べませんよ」と念を押すと、水田さんは「かたくなだなあ」と天を仰いで笑った。

「あ。ここ、まっすぐです」

水田さんの背中越しに身を乗り出して、前方を指さす。元木さんのアパートが見えてきた。


〈つづく〉

桜風堂夢ものがたり2 第五回

第一話 秋の旅人

村山早紀
Murayama Saki

下の街からの帰りのバスの、窓の外の山の景色は、すっかり秋めいて、赤や黄やいろんな色に木々の葉が染まっている。

透（とおる）は読みかけの文庫の頁からふと目を上げ、幾度見ても見飽きない、妙音岳（みょうおんだけ）の鮮やかな色彩に見とれた。

中学生になって、背も伸び、声も低くなったけれど、登下校がバスなのは変わらない。中学校もまた桜野町（さくらのまち）にはなく、山の麓（ふもと）の大きな街の中学校に通っているからだ。スクールバスではなく、町のひとたちと一緒に、町営の古い小さなバスを使うようになったという違いはあるけれど。

いちばん後ろの席に三人並んで腰掛けていた、変わらず一緒の友人ふたりも、透の視線に気がついたのか、窓の外を見つめた。

中学生になって、残念ながらクラスは別々になってしまったけれど、登下校が一緒で、よくつるんで遊ぶのも変わらないままだった。不思議なくらいに気があう仲間だということも、三人とも桜野町が大好きで、ずっと住んでいたいと思っていることも変わらない。

「綺麗だよなあ」

楓太が、少し鼻にかかった声でため息混じりに声を上げた。座席から腰を浮かせるようにして、通り過ぎる紅葉を見送った。

「この美しさは世界中に知らせるべきだと思うから、ここはひとつ、動画に撮ってアップしようかな」

ここのところ、楓太は動画の作成に凝っていた。もともとセンスが良いところに、高価な機材は家に家族が使っている物があるので、みるみるうまくなっている。最近では、「桜野町便り」という、町の魅力を中学生目線で紹介する番組を作って、YouTubeやＳＮＳで公開し始めた。町内のいろんなひとにインタビューしたり、アンケートをして統計を取り、結果を発表したり（その辺りのことは透も手伝った）、番組はまだまだ有名ではないけれど、少なくとも、町のひとたちには喜ばれているようだ。

気持ちが動画の方に行ってしまったのか、目があらぬところを見つめたと思ったら、耳のイヤフォンがひとつはずれそうになったようで、楓太は慌てたように受けとめて入れ直した。そんなふうに、何回となく落としてはなくしていることを知っているので、透もまた一瞬焦り、胸をなで下ろした。背が伸びて、前よりずいぶんおとなっぽくなっても、おっちょこちょいなところは変わらないのだった。

「動画作るなら早くしたほうが良いぞ。紅葉の時期って意外と短いから」

同じく紅葉を見つめるのは、知る人ぞ知る天才ヴァイオリニスト少年の音哉だった。文才もあり、作家志望の彼は、楓太の動画のBGMを作ったり、シナリオ作成や構成を手伝ったりしていた。

「音哉、BGMまた作ってくれる?」

「そんなの頼まれる前に作ったよ」

ふふん、と音哉は笑い、軽い鼻歌で、静かにメロディをうたった。

透は、楓太と一緒に、ただ息を飲む。

「いつも思うけど、すごいね、音哉くん。この短時間に曲ができちゃうんだ」

「おまけに、今回もすごいいい曲じゃん」

音哉の作曲が速いのは知っている。いままでにも何度も見てきた。でも今日のは、魔法じゃないかと思った。バスが森の木々の間を、ほんのちょっと走った間のことじゃないか。

「才能って罪だよな」

音哉はもじゃもじゃの髪をかき上げた。「自慢じゃないが、いつも息をするように曲ができるんだよね。一瞬で、最初の音から最後の音まで閃くんだ。こういう説明でわかるかな？」

「へえええ」

透と楓太は同時に声を上げる。

「自分の天才性が怖いよ」

さらりといいながら、目が嬉しそうだった。

「すぐ思いつく代わりに、どんどん忘れていくんだけどね。紙や何かのアプリに保存しておかないと、頭の中で変わっていくし」

そういいながら、スマートフォンをポケットからとりだして、五線譜が表示されるアプリにメロディを書いてゆく。

「——お。台風が来るみたいだぞ。いよいよ急がないと、紅葉はみんな散っちゃうかも」

音哉のスマートフォンの画面の上の通知欄に流れる、台風情報の通知を、透と楓太は横からのぞき込み、音哉はふたりにスマホを見せようとして——。

『えー、後ろの席の、中学生三人組、危ないから、ちゃんと座席に座るようにしてください。あとおしゃべりは、バスを降りてから』

運転手さんに注意されて、三人はそれぞれ、はーいはーいと答えると、座席にきちんと座り直した。乗り合わせたお年寄は笑っている。

透は軽くため息をつく。

(そっか、台風か)

十月といえば、台風シーズンでもあったなと今更のように、思っていた。

(散っちゃうだろうな、紅葉)

山の上の町は、あっという間に冬になる。冬は冬で好きだけれど、もう少し秋を楽しんでいたかったのにな、と透は思った。

桜野町の辺りは、天候の変化に影響を受けやすい。何しろ、標高の高いところにある町だ。天候が荒れれば、山の草木は風に煽(あお)られ、枝や幹が折れて道に倒れ、道路は塞(ふさ)がれてしまう。大雨が降り続けば、土は緩み、崖は崩れる。昔は方々に吊り橋もかかっていたそうだけれど、その橋も風に煽られて何度も落ちたそうで、秋の台風が来る時期には、里のひとびとは「そういうもの」だと諦めて暮らしていたらしい。

といっても、昔は豊かだった町だ。暮らしに必要なものはなんでも揃っていた場所でもあり、食べ物や水に困ることもない、充分自給自足できる、豊かな地であったので、下の街への道が閉ざされても、さほど悲壮な感じにならなかったとか。

そもそも、下界からは遠い、隠れ里のような――いや実際にその昔から、何らかの事情があって身を隠さなくてはいけなかったようなひとびとが多く訪れ、辿り着いた場所だったといわれている。古くから名湯の地として知られ、観光地としての歴史を持ちながら、どこか密やかな、当たり前のひとびとの暮らしと隔絶(かくぜつ)された地のようでもあるのだった。

「追われ、逃れてきたのは、人間だけじゃなかったんですって。そんな話を、昔、あなたのお父さんから聞いたわ」

小さい頃に、そんな話をお母さんから聞いた。まだお母さんが再婚する前、都会のマンションでふたりで暮らしていた頃のことだ。

まだお母さんが心の病気になる前、元気で仕事をしていた頃のこと。

夜遅く、ベッドに入る前に、ガラス越しの夜景を見ながら、桜野町の伝説を聞いた。お母さんはお酒を、透はココアを飲みながら。

お母さんは都会生まれ、都会育ちだったけれど、桜野町で育ったお父さんから、たくさんの民話や伝説を聞いて覚えていた。そしてそれを、野鳥のお母さんが雛に口移しで食べ物を与えるように、透に聞かせて育ててくれたのだ。

透が本好きの少年になったのは、大好きなおじいちゃんと亡くなったお父さんが書店員であったことの他に、お母さんから聞いた、桜野町の数々の伝説の影響があったのかも知れない。

あの夜の、ココアから上がる、甘い香りの湯気を覚えている。桜色のマニキュアを塗ったお母さんのきれいな白い手も。

「昔々——といっても、明治も近いような頃だって聞いたかな。秋のある夜、傷ついた一匹の狐が、桜野町の——その頃は桜の里、と呼ばれていた里に辿り着いたんですって。

若く美しい、金色の女狐で、背に狩人の矢を受けて、酷い傷を負っていた。傷に効くという、温泉に入るために若い娘に化けてやってきたのね。夜の闇に紛れて、里に辿り着いた娘は、初めて間近で、人里に灯る明かりを見て、怖いよりも先にきれいだと思ったんですって。なんてあたたかな色なのだろう、お日様のようだ、と。家々から漏れ聞こえる、里のひとびとの笑う声や家族に語りかける優しい声に、山のひとりぼっちの暮らしにはない、あたたかさを感じたの。それから七日、狐はひとの姿で里の温泉に通い、七夜、ひとの暮らしにふれたんですって。

見知らぬ旅の娘、長くつややかな髪の色がずいぶんと明るい、いっそ金色に見える娘に、里のひとたちは優しかった。ひとと目が合えば怯える娘に、どこから来たかと訊ねることもなく、傷を負った娘を気遣い、ただ優しくしてくれた。——桜の里は、追われる者、傷ついた旅人に優しい、そういう里だったから。

七日目の夜、その夜は月の明かりがひときわ美しい夜だったそうだけど、湯を浴びた後の娘は、草むらで倒れてしまったの。傷は良くなってきていたのだけれど、まだまだ深く、湯あたりして、ふと目眩がしてしまったのね。

そんな娘を、通りかかった若者が助けおこし、夜のこと、不用心でもあるからと、近くにあった彼の粗末な家に連れていって寝かせてやったそうなの。そうして自分は娘がゆっくり休めるようにと朝まで家の外に腰をおろして月を見ていたそうよ。

独り暮らしの若者は、森の木々から茶碗や箸や、いろんな道具を作り、獣や小鳥、花々を彫ることを仕事にしていて、家の中には若者が作ったたくさんのあたたかみのあるものや、愛らしいもの、美しいものが置いてあったの。

狐の娘は、ひとの手が作る、そういうものを見たこともふれたこともなかったから、その美しさに驚いて、窓から入る月の光の中、いつまでも手に取り見つめていたんですって。若者は若者で、娘の具合が心配で、そっとのぞいた部屋の中で、月の光を浴びて器を手に取る娘の美しさに見入ってしまったのね。若者はそれまでたくさんの美しいものを目にし、作り上げてきたけれど、こんなに美しいものを見たことがあったろうか、と思ったそう。

そして、その夜がきっかけになって、狐の娘は毎晩の湯治（とうじ）のたびに、若者の家を訪ねるようになり、若者はそれを待ちわびるようになり。

やがて傷が癒（い）えた頃、娘はほんとうなら、もう山に帰らなくてはいけないとわかっていたけれど、優しく美しい心根の若者と離れがたく、若者もまたそれを望んだので、ふたりは夫婦として、そのまま一緒に暮らすことになったの。

娘はずっと人間の姿のまま、自分がほんとうは狐だということは話さなかった。若者は金色の髪の娘が何かを隠しているとわかっていたけれど、聞けばきっといなくなってしまうとわかっていたので、何も訊かなかった。

そうしてふたりは、秋の紅葉の美しい頃に、若者の小さな家で、暮らし始めた。若者のこしらえたたくさんの美しいものに囲まれ、娘は、里のひとびとに迎えいれられ、幸せに暮らしていたんだけど――」

お母さんの美しい表情が曇る。

透は、このお話は何回も聞いて覚えていたけれど、いつもここで終われば良いのに、と思う。いつまでも幸せに暮らしました、っていう終わり方が良いのに、と。

けれど、狐の娘と木地師（きじし）の若者のお話は、そんなふうには終わらない。

「桜野の里のそばは水が豊かで、沼や湖がいくつかあるのだけれど、そのひとつの、小さいけれど途方もなく古い湖に、年老いた竜神が眠っていたのね。竜は、昔から、妙音岳を守る七柱(ななはしら)の神のひとりだった。そして竜は野の獣や小鳥、草木や花を愛する神で、それを傷つける人間によい感情を抱いていなかった。野山を畑にすることも、森の木々を切り倒すことも、よく思っていなかった。

竜は長い長い間、うたた寝しながら、里の人間たちの暮らしを見守ってきたんですって。そしてある秋の日に、繰り返されてきた人間の罪と過(あやま)ちを憂(うれ)い、これはもう滅ぼす方が、地上の生きものたちのためになると、大きな嵐を呼び、里を滅ぼしてしまおうとしたの。

人間の目には龍神の姿は見えず、ただ大きな嵐が襲ってきたと思ったけれど、狐の娘には吹きすさぶ嵐の中に、黒い竜の姿がはっきりと見えたのね。この里は滅ぼされてしまうだろうということもわかった。狐の娘は悩んだ末、狐の姿に戻ると、恐ろしい雨風が吹き荒れる中で、龍神に願ったそうなの。

『どうぞ、里の者たちをお許しください。みんな優しい者たちなのです。野山を壊し、森の木々を切り倒す恐ろしい手も持っていますが、美しくあたたかなものを作りだす手と心も持っています』

けれど龍神は狐の言葉に耳を貸そうとしなかったの。

『おまえもまた野の獣。里の者に追われ、その身を傷つけられた身の上なのに、なぜ里の者を赦すというのか』と。

狐の娘は、考えた末、嵐が吹きすさぶ妙音岳の野山を一晩の間に駆け抜けて、山を守る残り六柱の神に、龍神を止めてくれるよう、頼んだの。

六柱の神は、恐ろしい嵐の中を駆けてきた狐の娘の想いに打たれ、また里に住む者達を好いてもいたので、みなの力で龍神をとどめ、ふたたび深い湖の底で眠りにつかせたんですって。

ただ、狐の娘は、その一晩でもう狐の霊力を全て使い切ってしまい、もう人の姿になることができなくなったので、若者に別れを告げて、それきり山に帰っていったの。狐はもうひとの言葉を話せなかったけれど、悲しそうなまなざしと、一筋流した涙で、若者はあれがあの不思議な娘なのだと気づき、そして、それからは娘が帰るのを待って、独り身のまま、一生を終えたのですって」

「誰とも結婚しなかったっていうこと？」

「――そう」

とっても強かったのね、とお母さんが呟いたのを、透は覚えている。

「桜野町には古い祠がいくつかあって、そのうちのひとつに、若者が彫ったっていつたえられている、綺麗な狐の像が奉られているんですって。お父さん見たことがあるっていってたわ。いつか見に行こうね、って約束してたんだけど――」

その狐の像を、透は見たことがある。狐の娘のお伽話がお気に入りだったので、見たいといったら、おじいちゃんが連れていってくれたのだ。

川を渡る橋のそばにある、古い祠の中に静かに佇むその像は、とても美しかった。長い首をうつむかせ、ふさふさの尾を足に巻くようにして座っていた。時を経た証拠のように、つややかに光って、神々しく、女神さまの像のように、優しくも見えた。

「いまでは町を守ってくれる神様として、大切に奉られているんだよ」

おじいちゃんは、そういった。


お母さんと交わしたその約束は叶わないままに、透のお父さんは若くして亡くなり、お母さんは不幸な再婚をし離婚した後、心を病み長く入院して――いまは都会でひとり暮らしをしている。リハビリを兼ねて、独身時代に勤めていたデザイン事務所で、デザイナーとして復帰したのだった。透はお母さんの暮らすマンションにたまに訪ねて行き、互いにいろんな話をして、自分だけ、また桜野町に帰る。お母さんは見違えるようによくなって、表情が明るく、よく笑うようになった。

いずれ高校や大学に進学する頃には、自分は都会に帰ることになるのかも知れないと、透は思っている。

　将来の夢はまだ決まっていないけれど、どんな未来を選択するにしても、進学先の幅が広く、選択肢が増える都会に一度は出た方が良いと——これは、おじいちゃんの意見でもあった。

「桜風堂書店には、一整くんがいる。おまえはもう、店の灯を守ろうとしなくて良い。どこへでも自由に羽ばたいて良いんだよ」

　優しくいったおじいちゃんは、若い頃、やはり都会で暮らしたことがあり、故郷に戻るかどうか迷ったこともある、と話してくれた。

「たくさん迷い、悩んだけれど、おじいちゃんは、この町に戻ったことを後悔してはいない。むしろ、大好きな故郷へ戻ってきて良かったと、いままで数限りなく噛みしめてきた。おじいちゃんごときにも、町のためにできることがあって、桜風堂書店を通して、ささやかにみんなの幸福に役に立てたかな、なんていうふうにも思っている。——けれど、透、おまえは元々都会で生まれ育った子だ。もしこの先、おまえが都会に帰って、そちらの方が自分には合っていると思ったら、そのときには、もうここへは帰ってこなくていいんだよ」

　細く、しわしわになったけれど、温かな手で、おじいちゃんは透の頭をなでてくれた。小学生だった透が、桜野町で暮らし始めた頃に、よくしてくれていたように。慈しむような深く優しい瞳で、透をじっと見つめて。

（うん、ぼくはたぶんいったんは都会に帰るよ。母さんのそばにいてあげたいし。

――だけど）

窓の外の風に揺れる紅葉を見つめて、透は静かにうなずく。

（たとえその道を選んだとしても、ぼくはきっとまた、桜野町に戻ってくる。だってもう、ここが――山の中にある小さな古い町が、ぼくの帰りたい故郷で、生涯を暮らす場所だって思うから）

遠い昔のお伽話で、狐の娘が思ったように。地上に優しく暖かな灯を灯し、優しい声を掛け合い、よく笑い、居場所の無いひとびとや、傷ついた旅人に優しい――そんな町で、自分は変わらず暮らしたい。その町を住民みんなと手を携えて守り、できうるならば、より大きく幸せな場所になるように、力を尽くす、そんなことができるなら。

（お父さんも、いつか桜野町に帰りたかったんだよね）

自分が小さな頃に死んでしまったそのひとのことを思う。都会の書店員で、いつかは里に帰り、桜風堂を継ぐことを夢見ていたという、明るい笑顔で笑うひとのことを。

（お父さんの分も、ぼくはがんばるから）

小さく拳を握り、透は微笑んだ。


数日後、天気予報の通りに、嵐がやって来た。

その朝、透や桜野町の中学生たちは、雨風の中をなんとかバスに乗り込んで通学したものの、台風が夕方には近くを通りそうだということで、授業が午前中までとなり、生徒は帰宅することと決まった。——正確には、そう決まったらしいと、職員室まで先生たちの会議の様子をうかがいに行った男子が、廊下でその決定を聞き、走って情報を伝えに来た。

台風接近と授業の打ち切りが決まって、盛り上がらない中学生はいない。わっと声が上がり、賑やかな教室の一角で、透は近くの席の子たちと、なんということもない会話を交わしていたのだけれど、ふいに強い風が吹きすぎてガラスが驚くような大きな音を立てたとき、窓を振り返って、

（風の又三郎が飛んでそうな空だなあ）

と、ふと思った。

宮沢賢治の『風の又三郎』。

物語の最初に描かれた、詩のような、呪文のような言葉を思い出す。

どっどど　どどうど　どどうど　どどう
青いくるみも吹きとばせ
すっぱいかりんも吹きとばせ
どっどど　どどうど　どどうど　どどう

風はいよいよ強さを増して、窓ガラスを鳴らして行き——透は、風が吹き荒れる校庭に見えたものに、一瞬、目を留めた。

校庭に、こちらに背を向けて、誰かが立ち尽くしている。長い髪の女の子だ、と思った。どこの学校の制服だろう。見慣れない、セーラー服を着ている。

雨風が吹き荒れる中で、砂埃（すなぼこり）もふりかかるだろうに、一心に何かを見つめているように見えた。そうだ、何かを見つめている。遠く見上げている。——何を？

どこを?

校庭の向こう、大きな街の上に立つ妙音岳を、その上にある桜野町の方を見上げているように、見えた。

ふと、その子の背中が震え、こちらを——透の方を振り返った。そんな気がした。

窓越しに、目が合った、と思ったとき。

急ぎ足に歩く、スリッパを引きずる足音がして、大柄な担任の先生が、がらがらと教室の扉を開いた。

「こら、静かにしないか。おまえらの雄叫(おたけ)びが、職員室まで聞こえるぞ」

子どもたちは、きゃーきゃーと声を上げたり笑ったりしながら、きちんと席に着く。

先生が、みんなに頭を下げた。

「おはようございます」

透は他の子たちと一緒に先生の方を振り返り、学級委員のかけ声にあわせて、先生に朝の挨拶(あいさつ)をした。

「今日は台風が接近してきているので、授業は早く終わります。気をつけて帰るように」

はい、はい、と、あちこちで声が上がる。嬉しそうな声に、先生は仕方ないなあ、というように苦笑して、軽くうなずいた。

担任の先生は、言葉はときどきちょっと荒いけれど、明るい感じの先生で、とても本好き。国語の先生だ。大きな街にも書店はあるのに、桜風堂まで本を買いに来てくれることもあるので、透は好きな先生だった。たまに本の貸し借りをすることもある。

窓ガラスが、また、風で鳴った。

透がはっとして、窓をもう一度振り返ったときには、校庭に、あの長い髪の女の子の姿はなかった。

（気のせいだったのかなあ）

透は首をかしげた。――すぐに納得した。

きっと風に吹かれる何かを見間違えた錯覚だったんだろう。

そう思ったとき、先生が思い出したというように、開いたままの引き戸越しにいる誰かに、声をかけた。

「葛葉(くずは)さん、いらっしゃい」

呼ばれるままに、廊下から教室に入ってきたのは、長い髪の、見慣れない制服を着た女の子だった。肩に掛かり、背中に流れる髪は、ほとんど金髪といっていいような淡い色で、つややかに美しかった。

「転校生の葛葉千晶(ちあき)さんです。ご家族の仕事の関係で、この街に引っ越してきました。急な転入で、おまけに、あまり長くいられないそうだけど、みんなの仲間として、迎えてやってほしい」

転校生は、緊張しているのだろうか、どこか無表情に、ぺこりと頭を下げる。長い髪がさらりと揺れる。男子よりも女子の方が、わあ、とか、きゃあ、とか、素敵、とか小さく声を上げている。

すうっと上がる白い顔に、琥珀色(こはくいろ)の切れ長の瞳が綺麗だった。

(——なんというか、美少女っていうか)

透はつい、見とれていた。

それはどこか、人間ではなく、絵のような、夢の中の存在のような美しさで、同じ教室の中にいても、遠くにいるように感じられるような、そんな綺麗な少女なのだった。

(楓太くんや音哉くんがここにいたら、大騒ぎだっただろうなあ)

音哉も楓太もノリが良く、ロマンチストで、物怖じしない。そして楓太は、転校生の世話を焼くのが大好きだ。先生がそこにいるのも忘れて、立ち上がり、満面の笑顔で自己紹介くらいしているだろう。

そんなことを考えながら、透は、あることに気づいて、すぐにそれを打ち消していた。

転校生が、さっき校庭にいた女の子に似ているように思えたのだ。

（いや、でも、そんなはずは……）

ついさっき、校庭にいた女の子が、いま急にここに現れるはずがない。

まさかそんな、風の又三郎じゃあるまいし。

都会から来た転校生なのか、それともガラスのマントを身にまとう風の神様なのか、正体がわからないまま、また転校して行ってしまう謎の少年の物語が、透の脳裏をよぎる。

（だいたい、校庭にいたあの子は、ひどい雨風の中に立っていたんだ。びっしょり濡れているはずだ。いまそこにいる転校生は、髪も制服もわずかも濡れてやしないじゃないか）

長い髪の転校生は何を思うやら、ふわりと透に目をやり、琥珀色の瞳でじっと見つめた。

〈つづく〉

さよなら校長先生

6 うちわ　後編

滝羽麻子
Takiwa Asako

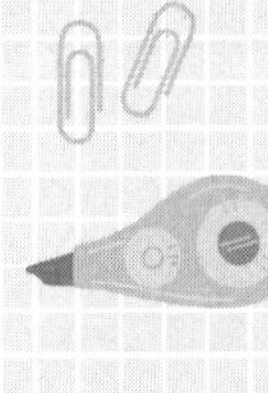

高村さんの家は、閑静な住宅街に建っていた。

ひとり暮らしだと車の中で聞かされて、マンションかアパート住まいかとなんとなく想像していたら、立派な一戸建てだったので意表をつかれた。希実の実家よりも大きいくらいだ。

急な来客にもかかわらず、家の中はきちんと片づいていた。高村さんはリビングのソファに希実を座らせ、焼きおにぎりと熱い味噌汁を出してくれた。ふたりで食べながら、また喋った。

後から振り返ってみると、たった数時間前に知りあったばかりの他人の家に泊めてもらうなんてそうとう厚かましいし、いささか軽率にも思える。高村さんのほうも、見ず知らずの若い女を自宅に連れ帰るとは、なかなか大胆なことをしたものだ。

双方がもっと身構えてもおかしくないような状況なのに、ぎくしゃくした空気にはならなかった。ふたりの間に、奇妙な連帯感が生まれていたからだろう。希実には、高村さんが純粋な親切心から手をさしのべてくれているのがわかったし、高村さんにも、希実が本当に困っていることが伝わったに違いない。もともと席の件で、高村さんのほうも希実に恩を感じてくれていた。ふたりで力を合わせたおかげで、互いの窮地を首尾よく切り抜けられたような気分にすらなっていた。偶然に偶然が重なって、思いもよらないかたちで、長い一日がしめくくられようとしていた。その不思議ななりゆきに、希実も、ひょっとすると高村さんも、わくわくしていたのかもしれなかった。

こうしてライブで近くに座ったり、ＳＮＳでつながったり、イベントで出会ったり、ファンどうしの交流が生まれる機会はときたまある。ただ、話題はもっぱらミラクルズに限られていて、個人の私生活にまではあまり踏みこまない。家族や仕事については詮索しないというのが、暗黙の了解になっているふしがある。

そうはいっても、家に上げてもらっておいて、なんにも聞こうとしないのはかえって不自然だ。

「ご家族ですか？」

壁際の棚に飾られた写真立てを目にとめて、希実はたずねてみた。

紺色のセーラー服を着た女の子を挟んで、今よりもだいぶ若い高村さんと、同年配くらいのきまじめそうな風貌の男性が立っている。三人の後ろには校門と、そこに立てかけられた看板も写りこんでいた。高校の入学式らしい。

「ええ。夫と娘です」

高村さんも、親子三人の記念写真に目をやった。

「娘はずいぶん前に家を出て、三年前に主人も亡くなって。それからは、こうしてひとり暮らしなんです」

しまった、話を振る方向を間違えただろうか、と希実がひやりとしたのを見透かしたかのように、

「最初のうちはさびしかったけど、慣れれば気楽ですよ」

と、高村さんはさっぱりした調子で言い添えた。

「ただ、ちょっとたいくつしちゃって。わたし、趣味のない人間なので」

「そうなんですか？」

ちょっと意外だった。これまで話した限りでは、好奇心旺盛で活動的な印象を受けた。どんなことにも前向きに挑戦していきそうな感じがする。

「こう見えて、けっこう仕事人間だったんですよね。定年になった後も、なんやかやとずるずる続けていて」

「会社にお勤めだったんですか？」

定年まで勤めあげるなんて、この年代の女性にしてはけっこう珍しいのではない

だろうか。少なくとも、希実の会社にはひとりもいない。

「いいえ、公務員です」

高村さんの返事で、納得がいった。そういえば、役所の窓口ではわりと年配の職員も見かける。

定年後も「ずるずる」というのは、嘱託の身分で残ったという意味だろうか。そこまで腰を据えて働き続けるなんて、確かに「仕事人間」といえるのかもしれない。家の様子からして、経済的な理由があるわけでもなさそうだ。

「でも主人のことがあって、なんというか、気が抜けてしまったんですよね。そろそろ引き際かしらと思って」

淡々と語るその顔を、希実はついまじまじと見てしまった。

高村さんはいったい何歳なのだろう。見た目から六十歳前後かと見当をつけていたけれど、それよりも上のようだった。定年が六十歳で、その後もしばらく働き、

前回までのあらすじ

男性アイドルグループ「ミラクルズ」のファンの希実は、一人で参加した地方のライブ会場で、上品な年輩女性の高村さんと出会う。帰りの電車が運休し、宿泊する場所を探す希実に高村さんは「よかったら、うちに来ます?」と声をかけてくれた。

夫の死をきっかけに引退して、そこからさらに三年も経っている。

頭の中で計算してみようとして、少々混乱してきた。

「失礼ですけど、おいくつですか？」

思いきって、聞いてみる。

「もうじき古稀になります」

古稀っていくつだっけ、と希実が考えこんだのを見てとったのだろう、高村さんは言い直した。

「七十歳」

「七十ですか？」

希実は声を上げてしまった。それなら、希実の母より祖母に近い。

「お若く見えますね」

「あら、うれしい。でも、褒めていただいても、なんにも出ませんよ」

高村さんはすまして応えた。言われ慣れているのかもしれない。

「まあでも、今どきは七十代でもいろいろ楽しめる時代でありがたいわ。うちのひとは気の毒だった」

七十代を迎える前に逝ってしまった高村さんのご主人は、クラシック音楽に目がなかったそうだ。

「引退して、買いためたレコードを存分に聴き直そうってはりきってたんですけどね。脳梗塞で、あっというまに」

　後には自慢のプレイヤーと大量のレコードが遺された。どうしたものか決めあぐね、いまだにそのまま置きっぱなしになっているという。

「手のつけようがなくってね。わたしはクラシックなんてさっぱりわからないし、だからって粗大ごみに出すのも気がひけるし」

　高村さんは小さくため息をつくと、苦笑した。

「ごめんなさいね、こんな話」

　微妙な空気を変えようとしてか、明るい声を出す。

「それもあってね、やりたいことは先延ばしにしないほうがいいなって思うようになったんですよ。今、できるうちにやっておかないと」

　ミラクルズのライブも、まさにその意気で応募したらしい。

「この年齢でなにやってるんだって人様には顰蹙を買うかもしれないけど、この年齢だからこそ、もう開き直ろうかなって。こんなに近くで公演があるなんて、またとない機会でしょう？」

「そうですよ。推しは、推せるときに推さないと」

　希実が勢いこんでうなずくと、高村さんはうふふと笑った。

「名言ですね。肝に銘じます」

胸の前で手を合わせる。

「うれしいわ、こうしてお仲間ができて。これまでずっとひとりだったから、いろいろ教えてもらえて心強いです」

「こちらこそ、こんなにお世話になっちゃって」

今さらながら希実が恐縮すると、いえいえ、と高村さんは首を振った。

「お礼を言うのはこっちのほうですよ。実は今日も、どきどきしていて。こんなおばあちゃんがのこのこ出かけていって、若いひとたちにあきれられたらどうしようかと」

「そんなことないですよ。年齢なんか、全然関係ないです」

会場にいた親子連れの姿を思い出し、希実はなにげなく言い足した。

「娘さんは、誘えないんですか？」

「無理、無理」

高村さんは勢いよく首を振った。

「わたしがライブに行ったなんて知ったら、腰を抜かすかも」

照れくさそうにも、なぜだかちょっと得意そうにも見えた。ミラクルズが好きだということすら、話していないらしい。

「隠すつもりもないんだけど、伝えるきっかけがなくて。そもそも、顔を合わせることも少ないから」

遠くに住んでいるのか、それとも折りあいがよくないのか。詮索するわけにもいかず、あいまいにうなずいた希実に、高村さんは思いがけないことを言った。

「うちの子、海外にいるんですよ」

「え、そうなんですか？」

「カナダの大学に留学して、それっきり住みついちゃって」

「へえ、すごいですね」

おせじではなく、素直な感想だった。希実には海外に住んでいるような身内はおろか、知りあいすらいない。

「じゃあ、現地でお仕事をされてるんですか？」

「ええ」

高村さんがうなずいて、棚に飾られた家族写真にちらっと一瞥(いちべつ)をくれた。もう少しこの話題が続くのかと思いきや、希実に水を向けてくる。

「あなたは？　お母さんとライブに行ったりします？」

「まさか」

今度は希実が、ぶんぶんと首を横に振る番だった。

「親には文句ばっか言われてます。ふらふらアイドルなんか追っかけてないで、もっと地に足つけろって」

特に、母がうるさい。あんたのためを思って言うてんの、人並みの幸せをつかんでほしいんよ、などと訳知り顔で説教してくる。よけいなお節介としか言いようがない。希実はミラクルズを追いかけてさえいれば、人並み以上に幸せだと断言できる。

仕事三昧で趣味がなかった、と先ほど高村さんは自嘲してみせたが、希実は逆だ。趣味しかない。

「ままならないわねえ、お互いに」

高村さんは首をすくめて、小さく微笑んだ。

「でも、そんなに若いうちから好きなものに出会えたって、それこそ幸せなことじゃないかしら？　わたしはずいぶん出遅れちゃったから」

笑みをひっこめ、希実の目をまっすぐに見つめながら、

「うらやましいわ」

と真顔で言った。

その後も、高村さんとはほそぼそとやりとりが続いた。

希実は家に帰ってから、お礼として菓子折を送った。すかさず高村さんから達筆

の礼状が届き、以来、たまに近況を知らせあう仲になった。

　近況といっても、希実自身の日常には、とりたてて語るべき出来事は多くない。ミラクルズの活躍を心のよりどころにしつつ、地味な仕事を粛々(しゅくしゅく)とこなし、母の嫌味を聞き流し、平穏で代わり映えのしない毎日を過ごしていた。

　もっとも、ここ数年で、両親もしだいにあきらめの境地に近づいてきたような気配を感じる。希実が以前にも増して、自信を持ってわが道を突き進むようになったからかもしれない。

　高村さんが言ってくれたとおり、たぶん自分は幸せなんだろうとあらためて気づかされたのだった。自分で稼いだお金で、自分の好きなことをのびのびやっている。誰にも依存(いぞん)せず、干渉(かんしょう)せず、迷惑もかけていない。迷惑どころか、機嫌がいいおかげで周囲にも優しくふるまえる。

　ともあれ、高村さんに宛てたメールには、主としてミラクルズの「近況」を書くのが常だった。

六人はそれぞれに活躍の場を広げている。グループとしての活動に加え、単独の仕事も増えていた。リョウはファッションブランドを立ちあげ、マサトは小説家としてデビューを果たした。テレビのバラエティー番組やドラマで見かけない日はないし、特番やスポーツ中継にゲストとして招かれることもあって、もはや全員分の露出は追いきれないほどだ。アサヒは俳優業にも力を入れはじめ、演劇の舞台やミュージカルにも精力的に取り組んでいる。希実もたびたび足を運んでは、そこで味わった興奮や感激や衝撃を、高村さんに書き送った。

ライブも演劇も、希実はひとりで見にいくようになっていた。

マキはあの後まもなく、ミラクルズのファンを卒業してしまった。職場の同僚と結婚して、もうすぐ子どもが生まれるらしい。残された希実は、一時期はＳＮＳでつながった同好の士とチケットを融通しあったり情報交換に精を出してみたりもしたものの、なにかとわずらわしいことも多く、ひとりが楽だという結論に至った。

ただ時折、胸の内側で燃えさかる感動を誰かに伝えたくてたまらなくなる。

新曲のメロディーがどんなにすばらしかったか、六人のダンスがどんなにぴったり息が合っていたか、アサヒの演技がどんなにみごとだったか。たとえばライブ会場からの帰り道に、あるいは自宅に戻って余韻(よいん)をかみしめている深夜に、「聞いて！」と大声で叫び出したい衝動にかられる。

　そんなとき、まっさきに思い浮かぶのは高村さんの顔なのだった。言いたいことをネット上に投稿すれば、まずまず反応はあるはずだけれど、見知らぬ相手ではやはりどうしても物足りない。

　希実がメールを送ると、たいてい高村さんはすぐに返信をくれた。ただし文面はごく短い。スマホで文字を打つのは苦手らしい。かわりに後日、葉書が送られてくる。こちらには、びっしりと文章が綴られている。毎回決まって、またお会いしたいですね、と結ばれていた。

　ところが今年の春先に、珍しく高村さんのほうからメールが送られてきた。

〈お願いしたいことがあります〉

　という一文だけで、詳細については言及がなかった。

　希実はてっきり、ミラクルズのライブのことかと思った。ちょうど、秋口から年末にかけて行われる全国ツアーの日程が告知されたばかりだったのだ。

　高村さんがライブに足を運んだのは、あの一度きりだった。また近くで公演があれば行ってみたいと本人は乗り気のようだったけれど、残念ながらその機会はめぐってこなかった。県外まで遠征する気になったら一緒にチケットを申しこみましょう、と希実は以前から誘っていた。

〈なんなりと〉

とりあえず返信すると、折り返し電話がかかってきた。

高村さんの声を、希実は五年ぶりに聞いたことになる。女のひとにしては低めの、それでいてよく通る凛(りん)とした声音(こわね)を、耳がちゃんと覚えていた。

高村さんに持ちかけられた頼みごとは、希実の予想とまったく違っていた。

「近々、引っ越すことになりまして」

挨拶をかわした後で、高村さんは切り出した。その報告自体には、希実はことさら驚かなかった。七十代も半ばにさしかかろうとしている高村さんがひとりで暮らすには、あの一軒家は広すぎるだろう。

「それで今、引っ越しに向けて持ちものを整理しているんですけどね」

新しい住まいは、隣県にあるシニア向けの集合住宅らしかった。ワンルームの居室は手狭で、最低限のものしか持っていけない。

「よかったら、これまで集めてきたミラクルズ関連のものを、あなたにひきとってもらえないかと思って」

と、高村さんは言った。

「ほんとにいいんですか？」

希実が念を押したのは、遠慮(えんりょ)したわけではなくて、腑(ふ)に落ちなかったからだった。

マキが結婚したときのことを思い出した。似たようなやりとりを経て、希実はミラクルズのグッズを大量にもらい受けたのだ。マキが口にしていた理由も、高村さんのそれとそっくりだった。新居には保管するスペースがないから。希実には釈然としなかった。場所が足りないのなら、他のものを捨てればいい。希実だったら、なにをさしおいてもミラクルズのグッズだけは置いておきたい。他にはなんにもいらない。

希実の声に含みを感じとったのか、ためらうような間をおいて届いた高村さんの返事は、なんだか歯切れが悪かった。

「わたしももう、この年齢ですから。いい機会だし、ちょっと身辺をすっきりさせておこうかと」

いやな予感がして、希実はこわごわたずねてみた。

「もしかして、お身体の調子が悪いとか？」

「いえいえ、そういうわけじゃないんだけど」

あっさりと否定され、またもや複雑な気分になった。高村さんが元気なのはもちろん喜ばしいけれども、それならわざわざグッズを手放すこともないのに。

家に泊めてもらったとき、若いうちから好きなものに出会えてうらやましいと、高村さんは希実に言っていた。自分は出遅れてしまったと悔やんでいるようだった。「でもちゃんとこうしてミラクルズに出会えてるわけだし、遅すぎるってことはないですよ」と希実が励ましたら、「そうかしら、じゃあこれからがんばって取り返さなくちゃね」とうれしそうに笑ってくれた。あの夜から、まだ五年しか経っていない。

ひょっとして高村さんもマキと同じで、もうミラクルズに関心がなくなってしまったのだろうか？　完全になくなったわけではないにしても、熱が冷めたのだろうか？　これからがんばって取り返さなくちゃ、とはりきっているように見えたのに？

「わかりました。都合のいいときに、送って下さい」

よけいなことを口走ってしまう前に、希実はそそくさと電話を切った。

翌月になって、高村さんから宅配便が送られてきた。ずっしりと重たい箱を開けると、一番上に、梱包材(こんぽうざい)でくるまれたひらべったい包みが入っていた。

なにげなく手にとってみて、その薄さと軽さにはっとした。

うちわだ。

五年前、希実がライブに持参した手作りのうちわを、高村さんは褒めてくれた。気をよくした希実は、いくつか持っていた中からひとつを進呈した。

アイドルのライブでは、うちわはあおいで涼むためのものではなく、愛するメンバーに気持ちを伝える道具として使われる。自作しているファンも多い。推しているメンバーの名前や顔写真をあしらうのは定番だ。あとは、「ピースして」や「投げキッスして」など特定のしぐさをリクエストしたり、「愛してる」「いつもありがとう」といったメッセージを送ったりもできる。

高村さんに譲ったのは、真ん中に「ＬＯＶＥ」と書いたやつだった。字はアサヒ担当の赤だけれど、周りに六色のハートをたくさん貼りつけてあって、箱推しでもさほど違和感はないはずだと思ったのだ。

高村さんはすごく喜んでいた。後からもらった葉書にも、〈貴女に頂いた団扇(うちわ)を手に、ライブのＤＶＤを堪能(たんのう)しております〉としたためてあった。

高村さんの葉書は、とにかく漢字が多い。うちわはこう書くのかと希実ははじめて知った。勉強になりました、とメールを送った。〈いつもおそわってばかりなので、たまにはおやくにたててよかったです〉と返事があった。メールでは、漢字変換が不得手なのか、葉書とは対照的にひらがなが多用される。

でも、これももう要らなくなったということらしい。

なんだか悲しくなってきて、希実は包みを箱の中に戻した。その下にＣＤやＤＶＤや雑誌なんかも入っているようだったが、確認する気にもなれず、ふたを閉めて箱ごと部屋の隅に押しやった。無事に受けとりました、ありがとうございました、と事務的なメールだけ打っておいた。

しばらくして、高村さんから転居通知が届いた。

印刷された定型文と住所の傍らに、おかげさまで先だって引っ越しをすませました、と直筆で添えられていた。ひとことメールをしようかとも思ったものの、なんと書いたらいいか考えがまとまらず、送りそびれてしまった。高村さんからも、それきり音沙汰はなかった。

醤油ラーメンは、魚介系の出汁（だし）が利いていておいしかったけれど、やたらに量が多かった。かろうじて完食し、希実は満腹で店を後にした。

腹ごなしがてら、アリーナまでゆっくりと歩く。急がなくても時間には余裕がある。何年か前から混雑を防ぐために分散入場が徹底されるようになり、指定された時刻までは中に入れない。

会場前の広場は一段と混みあっていた。人ごみを避けて脇道にそれ、あてずっぽうに進んでいくと、海べりの遊歩道につきあたった。カラフルなベンチが並んでいて、ちょっとした公園や軽食の売店もある。

熱いコーヒーを買って、空いていたベンチに腰を下ろした。沖合に船影が見える。白い海鳥が波の上を飛びかっている。

　ちびちびとコーヒーを飲みながら、ショルダーバッグからうちわを取り出した。梱包材をはぎ、腕をうんと伸ばして目の前にかざしてみる。とても上手にできている。文字はきっちりと等間隔に貼られているし、散らばったハートの色あいも配置もバランスがいい。

　高村さんから届いた宅配便の箱を再び開けてみようという気になったのは、ひと月ほど経った後である。

　この、シーサイドアリーナのチケットがとれたからだ。第一希望だった大阪公演を除いて唯一当選した会場は、奇遇にも、高村さんの新居と同じ県内にあった。その偶然に気づいてしまった以上、放っておくわけにはいかなくなった。

　箱に詰められていた包みを、希実はひとつひとつ開いていった。ＤＶＤもＣＤも、一枚ずつ丁寧に梱包されていた。

　せっせと手を動かしているうちに、ひねくれた気持ちもほぐれてきた。

　もしも高村さんがミラクルズに興味を失ったのだとしたら、グッズもさっさと処分してしまえばすむ話だ。捨てるもよし、売りに出すもよし、この量ならまとまった金額になったかもしれない。でも、高村さんはそうしなかった。荷造りに追われて忙しいさなかに、あえて希実に声をかけ、こうして送ってくれたのだった。

最後に、うちわの包みに手をかけた。テープをはがし、二重になった梱包材を一枚ずつめくった。

「え？」

中から現れたうちわを見たとたん、間の抜けた声がもれた。

中央に文字を配し、その周りを色とりどりのハートがぐるりと囲むという構図は、記憶のままだった。けれど、そこに書かれている言葉は「ＬＯＶＥ」ではなかった。「ありがとう！」の六文字が並んでいる。一字ずつ色が違う。

力作だった。

うちわを胸に抱いて、希実はしばし呆然とした。これは高村さんが作ったのだろう。たぶん、希実のうちわを手本にして。そっちは宅配便に入っていなかったということは、きっと手もとに残したのだ。

急いで高村さんに電話をかけた。ちゃんとお礼を伝えそこねていたことを詫び、新居の様子をたずねた。いたって快適だと高村さんは答えた。

高村さんも、アリーナでライブが行われるのは知っていた。抽選に応募したものの、残念ながら落選してしまったそうだ。こんなことなら二枚申しこんでおけばよかったと希実はおおいに悔やんだけれど、後の祭りだった。本人しか使えないデジタルチケットなので、希実の分を高村さんに譲ってあげることもできない。

結局、ライブの後に会場のそばで会う約束をした。希実はなんだか申し訳ない気分だったけれど、

「わたしのことは気にしないで」

と、高村さんはほがらかに言いきった。

「あなたにお会いできるだけでうれしいもの。思いきり楽しんで、たくさん話を聞かせて下さいね」

希実は冷めたコーヒーを飲み干した。高村さんのうちわを手に持って、ベンチから腰を上げる。

来た道を引き返し、広場に戻った。開演時刻が近づいているからか、いっそう混雑がひどくなっている。

アリーナの建物を背景に、うちわをかざして写真を撮った。腕をめいっぱい伸ばして、ライブの看板や垂れ幕がうまくおさまるように構図を工夫し、角度を調整する。希実と同じように、記念撮影に余念のないファンたちが、周りに何人もいる。うちわのほか、メンバーの姿をあしらったアクリルスタンドも人気がある。

これぞという位置で何枚か撮って、画像を確認した。真っ青な秋空も写りこみ、われながら上手に撮れている。

この写真を、高村さんに見せたかった。見てもらいたかった。

急に目もとがじんと熱くなってきて、希実はあわてて上を向いた。ぽつぽつと浮かんだ白い雲がぼやけて見える。

何度かまばたきをして、涙はこぼさずにすんだ。こんなところでめそめそしていたら、高村さんにたしなめられてしまいそうだ。わたしのことは気にしないで、思いきり楽しんで、と。

希実のもとに一通の葉書が送られてきたのは、夏の終わりのことだった。

仕事を終えて家に帰ると、あんたになんか届いてたよ、と母に言われた。食卓の隅に置いてあった葉書を手にとって、希実は首をひねった。宛先には間違いなく希実の名前と住所が書かれているものの、差出人の女性――下の名前は日本語だが、苗字は外国語らしくカタカナ表記だった――にはまったく心あたりがなかった。

でも、葉書を裏返してみたら、知っている名前が目に飛びこんできた。

〈母　高村正子儀　八月八日に七十五歳で永眠いたしました〉

冒頭の一文を読んで、目を疑った。

〈葬儀は故人の希望により近親者にて滞りなく相済ませました　生前中のご厚誼に深く感謝申し上げます〉

葉書を握りしめたまま、希実は床にへたりこんでいた。

発券したチケットの座席番号を確認するなり、わ、と変な声がもれた。

ロビーを抜けて、なだらかな勾配のついた通路を進む。下り坂のせいばかりでもなく、ひとりでに小走りになっていた。割りあてられた座席は、昼の部に比べてはるかに前のほうだった。

一歩ごとに、センターステージが近づいてくる。いよいよ胸が高鳴る。

席までたどり着いて顔を上げると、ステージはすぐそこだった。この位置でうちわを振ったら、アサヒたちの目にもとまるかもしれない。色とりどりの文字も見えるだろう。高村さんが六人に伝えたかった感謝のひとことを、読んでもらえるといい。

先月にも、希実は再び見知らぬ差出人から葉書を受けとった。

前回とは違って、高村さんの娘からではなかった。「高村正子先生を偲ぶ会」が催されるそうで、その実行委員会からの案内だった。八月の死亡通知と同様に、故人の遺した住所録かなにかをもとに、生前やりとりのあった人々にまとめて送っているのだろう。希実も高村さんから毎年欠かさず年賀状をもらっていた。

日程は、今月末の日曜日だった。高村さんが引っ越す前に住んでいた県内の、市立小学校が会場となるという。

ライブと日が近ければ足を延ばせなくもないかなと思ったけれど、あいにく一週間ずれていた。残念な気もしたが、よくよく考えてみれば、希実が行くべき場ではないのかもしれなかった。希実は高村さんが教師だったことすら知らなかったのに、教え子たちの集う追悼会にしゃしゃり出ていくのはおかしいだろう。

はたと思いつき、ネットで高村さんの名前を検索してみた。自治体や教育関連のホームページがいくつか出てきた。教職員の人事異動やら地域の教育活動やらにまつわる情報にまじって、市報から転載された追悼記事も見つけた。急性心筋梗塞による突然死だったようだ。

希実と電話で話したときも、高村さんは元気そうだった。体調が悪いのかとたずねたら、言下に否定してみせた。よもやこんなことになるなんて、おそらく本人も予期していなかったのではないか。

偲ぶ会の開催される小学校が、高村さんにとって最後の赴任先だったらしい。校長までつとめあげたということは、教師としてかなり出世したといえるのかもしれない。そういえば、仕事人間だったと前に自分でも言っていた。こういう会が企画されたのも、周囲に慕われていた証だろう。あの温厚な人柄なら、子どもたちになつかれ、保護者からも信頼されそうだ。ＳＮＳでも、先生の冥福を祈る卒業生や後輩教師たちの投稿をいくつか目にした。

　でも、希実は高村さんの生徒ではなかった。

同じ趣味を持つ、仲間だった。だから、そのつきあいにふさわしいやりかたで、希実なりに高村さんを偲びたい。

　上着を脱ぎ、座席に腰を下ろす。左右はどちらもまだ空いている。高村さんが来られたらよかったのにな、と思う。

　高村さんはもういない。むろん、希実もその事実は理解している。でも、もう二度と会えないという実感が、どうしてもわいてこないのだった。五年もの間、一度も顔を合わせていなかったからかもしれない。直接会わなくても、つながっていられた。同じように、これからも今までどおり、高村さんはどこか遠くで希実の報告を待ってくれているような気がしてならない。

　いつだったか、高村さんにもらった葉書の文面を思い出す。

〈貴女に頂いた団扇を手に、ライブのＤＶＤを堪能しております〉

　希実はうちわの柄（え）を両手で挟んで、くるくると回してみた。六色の文字を、心の中で読みあげる。

ありがとう。

偲ぶ会の開催を知らせる葉書には、「高村先生に縁のある品」を集めていると書いてあった。当日、簡単な説明をつけて、会場に展示するらしい。

もしもこのうちわを送ったとしたら、実行委員の面々はきっと驚くだろう。それに、会場を訪れる客たちも。

高村さんがミラクルズに夢中だったことを、たぶんみんな知らない。

証拠も、確かめるすべもないのだけれども、希実には確信があった。娘は腰を抜かすかもしれないと言っていた高村さんの、いたずらっぽい笑みが印象に残っている。実の娘にすら話しそびれているのに、歴代の教え子や同僚だった教師たちに気安く打ち明けていたとは考えづらい。

希実の偏見かもしれないが、校長先生という職業には、もっと高尚というか硬派というか、いわゆる「文化的」と評されそうな趣味のほうが似合う。アイドルよりも、たとえば読書とか茶道とか俳句とか、もしくはクラシック音楽とか。

わたしはクラシックなんてさっぱりわからない。家に泊めてもらった晩に高村さんがしんみりとつぶやいていたことを、希実は覚えている。

亡夫の遺品を捨てるに捨てられなくて、高村さんは困っているようだった。生前の夫にとってかけがえのない宝物だったはずの品々も、妻にとっては使いようがない。主人もさぞ無念でしょうねえ、と苦笑していた。わたしがこの値打ちをわかってあげられればよかったんだけど。

いつか自分がこの世を去ったとき——その日がこんなに早く訪れるとは想定外だったにせよ——、ミラクルズのＤＶＤやＣＤがそんな運命をたどるのはしのびないと高村さんは考えたのかもしれない。遺された家族を困惑させたあげく、不用なごみとして処分されてしまうくらいなら、自分にかわって大事に扱ってくれそうな誰かに託したい、と。その気持ちは、希実にもよくわかる。万が一、希実が急死したとしたら、おそらくこれまで集めたミラクルズのグッズはごっそり捨てられてしまうだろう。想像するだけでも、きりきりと胸が痛む。

信頼できる相手として、高村さんは希実を選んでくれたのだ。その信頼に、希実も応えたい。

もちろん、うちわはどこにも送らない。これは高村さんと希実と、そしてミラクルズのものだから。

もうじき、ライブがはじまる。

希実はステージを見つめる。高村さんから引き継いだうちわをしっかりと握りしめ、まばゆい光がはじける瞬間をじっと待つ。

〈つづく〉

彼女は逃げ切れなかった　第九回

それは彼女が逃げ切れなかったから

［前編］

西澤保彦
Nishizawa Yasuhiko

「見覚え、あったりする？　こういうの」とカウンター越しに、わたしは自分のスマホ画面を指し示した。

ネット検索で拾った、ファッション関係のサンプル画像だ。金髪碧眼の北欧系とおぼしき若い女性が、パフスリーブのロング丈Tシャツにデニムサロペットのスカート、そしてカラータイツに全身を包み込んでいる。

「モデルの娘じゃなくて、この服のほうのこと、なんだけど」

久志本刻子は、冷やしたゴブレットをビールサーバーの注ぎ口にあてがった姿勢のまま首を傾け、顎を少し突き出し気味に、こちらの手もとを覗き込んだ。「んん？　ああ、そういえば、たしか」

　みっしり白く張り詰めた泡が縁からこぼれ落ちそうなゴブレットをわたしに手渡しておいてから、刻子は改めて首を傾げた。「いち時期、孝美が、よくこういう恰好をしていなかったっけ。そうだ。ほら。トップスが白、タイツがグレイっていう色の取り合わせも、若い頃の彼女の趣味っぽい」

　やっぱり刻子にとっても印象深かったんだな、と感に堪えぬいっぽうで、ひょっとしてそれ、決め打ちで答えたりしていない？　との疑念もうっすら、わたしとしては払拭し切れない。普段はおよそ服飾関係のトピックに無頓着なはずの古都乃がこんな画像をわざわざネットで検索するのは、多分なにか藤永孝美がらみの事情ゆえであろう、と刻子ならば造作もなく、そう見当をつけられよう。

　などと少し密かに斜に構えかけているところへ、刻子はあっさり、こう続けた。

「そうそう。昔、彼女が初めて、古都乃をあたしに引き合わせてくれたときに着ていたのも、こういう服だったよね」

「えッ。ええッ？」予想を遥かに超越するピンポイントな指摘に仰天してしまった。「嘘ッ。まさか。お、憶えているの、そんなことを？　もう三十年以上も前なのに」

　あれは平成元年。一九八九年の七月某日。当時県警一課の新米刑事だったわたしは仕事の合間を縫い、市街地の某シティホテルへと向かった。館内のティールームで、帰省していた藤永孝美と会うために。

　そしてその席で、孝美が関西の大学在籍中に知己を得たという、同じ高和出身の久志本刻子にわたしは初めて紹介されたのだ。三人が三人とも、芳紀まさに二十七歳。八月生まれのわたしは厳密には一ヶ月ほど、十一月生まれの孝美は四ヶ月ほど、その時点では足りなかったものの、現在の年齢の半分にも満たぬ若さだった。改めてそう思いを馳せると、ふと気が遠くなる。

「縁は異なもの、味なもの、なんて言うけれど。ほんと。ひととひととの出逢い、巡り合わせって数奇なものだよね。想像してみて。もしもあのとき、孝美のお父さんが娘を騙くらかして彼女を帰省させていなかったとしたら、あたしは生涯、古都乃と知り合うことなく終わっていたかもしれない。こうして三十余年にも及ぶ長い付き合いも、いっさい無い人生だったかもしれないわけだから」

「うん。って、え？」一旦うっかり頷きかけたわたしは思わず、カウンターに頬杖をついていた顔を上げた。「どういうことそれ。孝美のお父さんが彼女を騙くらかして、って、なに。なんの話」

「あれ。もしかして知らなかった？」

「だから、なにを」

「あのとき、孝美が高和へ帰ってきていたのは、お父さんが緊急入院して危篤状態との連絡を受けて、だったんだ」

ハイボールのグラスを口もとへ運びながら刻子は肩を竦めてみせた。「ところが、それは実は真っ赤な大嘘。いや、旅先で食中りに遭ったお父さんが地元へ戻ってきてすぐに桑水流町の病院へ担ぎ込まれたこと自体は、紛れもなく事実だったそうだけど」

「旅先、って。旅行中に食中毒？」

「修学旅行の下見だったとか」

「憶い出した。孝美のお父さんて当時、県立高校の教頭先生だったっけ」

「どこだったかは知らないけど、宿泊先で体調を崩したので予定を早めて帰ってきて、病院へ直行し、検査したら食中毒が判明。即入院したものの、生命にはまったく別状なし。なのにお父さんたら、これは東京へ行きっぱなしでろくに実家に顔を見せにこようともしない孝美を呼び寄せられる、恰好の口実になるぞ。症状を多少誇張してもかまわんから、父親が緊急入院しておおごとなので、とにかく一刻も早く帰ってくるよう娘に伝えろ、と妻に指示したらしい」

「わたし、てっきり孝美は、刻子のお兄さんの結婚披露宴に出席するために帰ってきていたんだ、と。ずっとそう思ってた」

「おっとり刀で飛行機のチケットを手配し、高和空港から直接タクシーで桑水流町へ駆けつけた孝美だったんだけど。実はその時点で父親は危篤どころか、病院へ運び込まれた直後で、検査も終わっていなかったというんだから策略バレバレで呆れるでしょ？　おまけに、いざ娘と顔を合わせたと思ったら、おお孝美よ、オマエにぴったりの縁談が来ておるぞ、などと太平楽な放言に及ぶありさま」

　わたしは思わずカウンターに突っ伏し、頭をかかえた。如何にも昭和のオトコ的な、とのひとことで済ませるには痛過ぎる。

「怒髪天を衝いた孝美。なんだと、ワシが死にかけているなぞと誰がそんな出鱈目をと、すっとぼける父親をベッドから蹴り転がしたその足で。いや、ほんとにそんな乱暴狼藉を働いたわけではなく、あくまでもレトリックとしての激しい怒り。その勢いに任せて空港へ取って返してはみたものの、羽田行のフライトがすぐには確保できない。そこで彼女、ふと思いついて、あたしに電話してきた」

　スマートフォンなどはまだ全然普及していない時代、孝美は言わば駄目もとで空港の公衆電話から久志本家へかけてみたわけだが、たまたま刻子は実家に居て、つかまえることができた。わたしは初めて知る経緯で、聞けば聞くほどたしかに、これは人生の隠れた重要分岐点だったのかも、と思えてくる。

「じゃあ孝美は、そもそも刻子のお兄さんの結婚披露宴には招待されていなかった？」

「あたしに兄がいるなんて彼女、そのとき初めて知ったくらいだったんじゃないかな。電話をもらったとき、たまたまこちらは、県外からの招待客の都合で押さえていたホテルの部屋をひとつ、キャンセルする寸前のタイミングで。それをちょうどいいから、と孝美に回してあげることになった。で。宿泊ついでに披露宴にも賑やかしで出てくれない？　なんて、その場の軽いノリというか、冗談半分に提案したんだ。孝美は当然フォーマルウエアなんか持ってきていないけれど、せっかくだからお言葉に甘えて二次会か三次会にはお兄さんたちに顔見せがてら、お邪魔させていただきます、って流れに落ち着いた」

「そうだったんだ。いまのいままで、すっかりかんちがいしていた。でも、うーん。なんだか孝美がそういう思い込みを誘発する口ぶりだった、ような気がしないでもない」

「成り行きでこちらに滞在することになったので古都乃にも連絡し、ホテルのティールームで落ち合ったものの、実はお父さんの虚言に釣られて帰省したんだとかって、いちいち正確な経緯を説明するのが孝美もめんどくさかったんでしょ。態よく、あたしの兄の結婚披露宴への出席名目でお茶を濁した」

そこへたまたま用事があって孝美を探しにティールームへやってきた刻子と、わたしは初の顔合わせを果たした次第で、これはまさしく縁は異なもの、と彼女が評するとおり。振り返ってみればこの三十余年、わたしに関して言えば孝美とよりも、むしろ刻子のほうと長く、深い交流を築いてきている。

　そしてそれはとりもなおさず、孝美とわたしとのあいだにはいつも刻子という得難い橋渡し役が存在し、見守ってくれていた、という意味でもある。もしも刻子との親交が無かったとしたら、わたしはとっくの昔に孝美とは疎遠になり、彼女の死すらも未だに認知せぬまま、だったかもしれないのだから。

「それにしても、やれやれ、だ。ただでさえ折り合いの微妙だった父親からそんなふざけた真似をされたら孝美も、ますます実家からは気持ちが離れ、足が遠のくいっぽうに陥るだけだと、容易に想像がついただろうに」

「それどころか。どうやら結局、この一件が今生の別れになってしまったみたい。二〇一九年に耕造さんが特養ホームで亡くなられるまで、実に三十年もの長きにわたっての父娘断絶という。ただ孝美が端から、そこまで意地を張り通すつもりだったかどうかは判らない。あくまでも結果的に、そうなってしまったんじゃないか、という意味だけど」

「耕造」が孝美の父親の名前であると、ぴんとくるまで我ながら呆れるほどたっぷり間が空いた。どうやらわたしは自覚する以上に、彼女の家族の存在を意識の外へ追いやっていたんだということが、この後のやりとりの過程でも次々と明らかになってゆく。

「二〇一九年……ひょっとして孝美が、あの年に高和へ帰省していたのは？」

刻子が、久方ぶりに会えた彼女と遅ればせながらＬＩＮＥ交換したと言っていた、あのとき。わたしにも合流のお声がかかっていたが、老父の介護疲れを理由に、孝美とは会わずじまい。そのわずか三年後に彼女が急死してしまう、などとは神ならぬこの身、思いもよらなかったからとはいえ、もはや悔恨の極みという言葉では語り尽くせない。

「その時点でお父さんのご兄弟とか、存命の縁者は、もう他に誰も残っていなかったそうだから。ひとり娘の孝美以外は」

「お継母（かあ）さんは？　たしか耕造さんには後妻さんが居たはず。それと、孝美にとっては義理の弟に当たる、その息子さんも」

「とっくの昔に離婚。彼女の連れ子ともども逃げられていた。糸子（いとこ）さんて、家父長制にはわりと抵抗なく馴染（なじ）めて、封建主義的な夫をうまく立てられるタイプだったようだけど。そんな彼女も、義理の娘である孝美と耕造さんとのあいだを取り持つ板挟みだけは、どうにもこうにも精神的に堪え切れず、嫌気がさした、という事情だったみたい」

　糸子という名前が記憶を刺戟し、鰓が張って切れ長な吊り眼のいわゆるオリエンタルビューティ系の相貌がレトロな色調と質感を伴い、浮かんでくる。「孝美のお継母さんて、そんなに追い詰められるほどいつも、夫と義理の娘の仲立ちに明け暮れてたの?」

「旦那の我儘やたいていの無理難題は柳に風と受け流せる性格だったようだけど。そんな糸子さんも、さすがに耕造さんの無責任さにはほとほと呆れ、夫や父親という以前にその言動はそもそも人間としてどうなのよ、と見限らざるを得なかった。ほら。家庭争議という枠には到底収まり切らないほど深刻で、決定的な出来事が藤永家で勃発したでしょ。ちょうどあたしの兄の結婚式の直後に」

「その頃の、いち大事、と言えば」他にあり得ない。「孝美の妊娠が発覚したことか」

「そういえば、いまさらだけど。あれって、どういう経緯で、だったの?」刻子はカウンター越しにひょいと手を伸ばし、空になったわたしのゴブレットを引っ込めた。「あのタイミングで、孝美本人がわざわざ周囲に暴露した、とも思えなかったんだけど」

「さる筋から藤永家に密告があったんだ。無駄にドラマティックな言い方で恐縮だけど、ほんとに安手の恋愛ドラマはだしの展開で。背後で暗躍していた黒幕というのが、良仁（よしひと）の一学年後輩だった、イナガケって娘」

　苗字の「稲」と「掛」を指で宙になぞってみせる。「これがもう、純愛一途というと聞こえはいいけど、恋に溺（おぼ）れて周囲がなんにも見えなくなる、絵に描いたように妄想系で傍（はた）迷惑な、夢見る乙女（おとめ）の典型。この稲掛（いながけ）嬢が、よりによって我が弟にぞっこんで。のぼせ上がるあまり、本来は偏差値が全然足りなかったのもなんのその、猛勉強して、一年遅れで良仁と同じ大学へ入ってきたそうな」

「はるばる東京まで追いかけていったんだ、良仁くんを懸想（けそう）するあまり」

　その名前の呼び方がごく自然なため、うっかりかんちがいしそうになるが、よくよく考えてみると刻子は実際にわたしの弟に会う機会は一度も無かったはず。そもそも良仁は当時、生まれたばかりの我が子の成長すら、ろくに見届けられずじまいだったわけで。

「彼女が良仁くんへの想いを支えにして、苦手だった勉学に励んで勝ち得た進路だというなら、ちょいといい話に聞こえなくもないけど。一歩まちがえたらストーカーだ」

「稲掛嬢は大学を卒業後もバイトで東京に留まり、修士へ進んだ良仁のことを、こっそり付け回していた。どうも彼女、そこまで熱烈に入れ込むわりには、表立って良仁に接触を試みたりはしなかったようなんだ。実際、良仁本人も、たしかに高校時代の後輩の女の子が同じ大学へ来ているな、くらいは認識していたけれど、実際に彼女と言葉を交わしたりした覚えはほぼ皆無、だったとか」

「物陰から愛しの君の姿を、こっそり見守るだけで満足、ってタイプだったのかな」

「ただ見守るだけじゃなくて彼女は、本職の興信所ばりに想いびとの身辺調査に血道を上げ、良仁と孝美の親密な関係を突きとめた。そしてここで、運命的と称してもあながち大袈裟ではないほどの偶然の悪戯が炸裂する。なんと、この稲掛って娘の父親が実は、たまたま糸子さんとは従兄妹同士だった」

「ほう。それで彼女、言い上げたのか、従叔母に？　聞いてください、糸子さん、アナタの義理の娘である藤永孝美という女があろうことか、アタシのたいせつな王子さまの子どもを身籠もっているんですよ、と？」

そう訴えれば自らの手を汚さずとも孝美と良仁の仲を裂くことができる、と稲掛嬢は期待したのだろうか。しかし一般論として、妊娠が発覚すれば先ず当事者たちに正式な婚姻を促す方向へ動くのが、周囲の普通の反応なのではないか。男女どちらかが既婚者とかならまた話は別だが、なにしろ昭和から平成へ移行したばかりの時代である。少なくとも地域社会に於いてはまだまだそういう保守的な価値観が支配的だったわけで、藤永家へのご注進が稲掛嬢にとって、さほどのメリットがあったとは思えない。まあ嫉妬にかられるあまり、なにか闇雲に手を打たずにはいられなかった、というのが実情なのだろうが。

「妻を通じて娘の妊娠の事実を知った耕造さん、どうしたか。浅はかにも自分では、なにもしなかった。その代わり、相手の男に責任をとらせるよう、オマエがきっちり先方の家族と交渉しておけよと、なにもかも糸子さんに丸投げ。耕造さんにしてみれば、自分がヘタに口を挟むと孝美がアレルギー反応を起こしてよけいに収拾がつかなくなる、と配慮したつもりだったのかもしれない。けれど本人の認識はどうあれ、誰の眼にもそれは投げ遣りで無責任な態度に映る。結果、妻の糸子さんのみならず、古都乃のお父さんを始め関係者全員の不興、不信を買ってしまった」

　ここで驚くべきは、一連のいざこざの次第をわたしが知るのは、なんと、孝美が出産した後だったということだ。それは父、慎太郎が明らかに意図的に良仁と孝美との案件の過程を娘から隠し通したからに他ならない。

　孝美とわたしとの距離感を生前の慎太郎がどのように捉えていたかは定かではないが、複雑で微妙な問題含み程度の認識はあっただろう。その彼女がよりにもよって自分の弟と男女関係を結んでいた、という事実はいくらなんでも古都乃にとって精神的負荷が重過ぎる、くらいの危惧は抱いたかもしれない。

　完全な後知恵の推測になるけれど、この情報遮断によって関係者たちのあいだで決定的な、すれちがいが生じたのではあるまいか。つまり孝美の立場からすれば、彼女の良仁との関係や懐胎の件を、このわたしがいっさい与り知らなかった、なんておよそあり得ない話なわけである。当然知っているはずなのに斯くも重大な弟と友人の局面に古都乃はなんの介入も試みようとはせず、傍観を決め込んだ……孝美がそう誤解したのだとすれば、それは彼女のわたしに対するイメージと、そして自らの将来の意思決定とに致命的な影響を及ぼしてしまったのかもしれない。

もとより孝美は良仁に限らず、誰と結婚する気も無かった。けれど、子どもを産む以上は自分で育てるつもりだったはず。それがいともあっさり、ほたるの親権を放棄した。娘の婚姻外妊娠にもまるで他人ごとな不誠実極まる保護者の家族にたいせつな孫を任せるわけにはいかない、と必要以上に強硬姿勢を打ち出す慎太郎との攻防、その売り言葉に買い言葉も事態を修復不能な域まで拗らせた。

自分の父親を過度に擁護するつもりはないが、慎太郎だっていくら自分の娘の心情を慮ろうとも良仁と孝美の騒動を永遠には隠し通せないことくらい自明の理だ。わたしを揉めごとから一時的に遠ざけたところでなんの意味も無いし、むしろ将来的になんらかの禍根を残しかねない、と冷静な判断を下して然るべきだった。なのに父が結果的にそうできなかったのは、やはり耕造さんに対する不信と反感も要因として決して小さくないのではあるまいか。いまさらながらわたしとしては、そんな恨めしい思いを禁じ得ない。

「耕造さん、ひょっとして危篤云々の嘘の一件を意外に引きずっていたのかな……」わたしにしても当時もしも新米刑事としての仕事に極端に忙殺されていなければ、たとえ父が姑息に隠蔽しようとも弟たちのいち大事を察知できなかったはずはないのに、と思うと、ついこんな愚痴が洩れてしまう。「後ろめたくて娘に合わせる顔がない。だから話し合いの席にも出てこようとしなかった、とか」

「それも無くはないかもしれないけど、あんまり大した問題じゃないと思う。やっぱり長年の確執の積み重ねでしょ。特に孝美としては実の母親の佳恵さんの闘病中に、耕造さんがすでに糸子さんと深い仲になっていたという事実を一生、赦せなかっただろうし」

「たらればの話をしても虚しいだけだけど。もしも耕造さんがもう少し誠実な態度を示してくれていれば、うちの父だって、もっと柔軟な対応をしていたかもしれない……」

そして、もっと異なる未来があったかもしれない。すなわち孝美がシングルマザーとして、あるいは良仁が若年性狭心症を免れる世界軸ならば事実婚カップルとして、ほたるを育ててゆく、という。いずれにしろ、わたしが養母を務める必要なぞ無かった未来が。

「もちろん慎太郎さんに、糸子さん個人を責め立てる意図なんか無かったでしょう。でも彼女は夫からなにもかも丸投げされていた。全面解決できなきゃオマエの責任だ、と圧力をかけられる苦しい立場の糸子さんに、孝美が特に配慮をしたとは思えない。もしも孝美が自分の実の娘だったのなら、糸子さんの気概も全然ちがっていたんでしょうけど。無責任な夫と血のつながっていない義理の娘のため、纐纈家側との交渉の矢面に独り立たされる、なんて不条理以外のなにものでもない。精神的に追い詰められ、消耗するばかりだったのだろうと想像に難くない。結局、堪えられなくなって耕造さんとは離婚。ちょうどその前後、当時浪人生だった息子さんが海外留学を決めたことも追い風になったようで、さっさと藤永家から逃げ出した、ってわけ」

「なるほど。長年もやもやしつつも、つい放置していた霧が、いろいろ晴れました」

刻子がつくってくれたハイボールのグラスを手に取り、ひとくち。「問題の服の件に話を戻すね。テレビや新聞では報道されなかったようだけど、昨年の十一月。桑水流町で、とある空き家が全焼する火事があった」

アボカドとマグロのタルタルの皿をこちらへ差し出そうとしていた刻子の手が一瞬、宙で止まった。「桑水流町」と「空き家」の部分に反応したのだろう。「お察しのとおり、それは藤永邸。孝美の実家だった」

「ほんとなのそれ。全然知らなかった」

「わたしも。ほんの先月たまたま耳に」

「まって待って。全焼？　って。昨年の十一月といえば、孝美はもう死去していて。桑水流町の実家にも身内は誰も残っていない。だから彼女の遺骨は、孝美の実母方の従弟が引き取った、という話だったよね。その空き家になっていた藤永邸が火事で全焼した、っていうのは、どういう？　まさか……」

「どうやら放火だったらしい。灯油を撒いた痕跡が確認された。それも衝撃的だけど、もっと驚いたのは、火が出たのが十一月二十七日の午後九時半頃だった、ってこと」

町名に反応した刻子だが、その日付には全然ぴんと来ないらしい。「わたし、実はまさにその日の昼間に、桑水流町へ行っていたんだ。孝美の実家へ、ＪＲで。いや、別になにか用事があったわけでもなんでもなくて。ただ急に朝、その日が孝美の誕生日だったことを、ふと憶い出したらもう、なんだか……矢も楯もたまらなくなって」

頷いてグラスを傾ける刻子につられて、こちらもハイボールをがぶりと呷る。

「藤永邸が空き家になっていることは知らなかった。ご両親は居なくても誰か親族のひとが住んでいたりするかも、とか漠然と想像してたら、実家は見る影もなく荒れ果てていて。なにをどうしようもなく、そのまま駅へ取って返した。ただそれだけ、だったんだけど」

厳密には高和市へ戻る電車に乗る前に藤永家の近所の酒店でいじましく角打ちしたのだが、そこまで言及する必要もあるまい。「まさか自分が立ち去ったその日の夜に火災が発生していた、だなんて。ほんとに驚いた。しかも、それだけじゃなかったんだ。鎮火後の現場検証で、なんと、無人だったはずの焼け跡から若い男性の遺体が発見された」

「放火が原因で亡くなったのだとしたら大事件じゃん。なんで報道されなかったんだろ。他に重要なニュースが重なってたとか？」

「メディア側の事情はさて措き。焼死体で発見されたのは高和市板羽町在住で無職の仁賀奈結太、当時二十三歳。これまでに調べられた限りでは藤永家の縁者でもなければ、桑水流町界隈に知己なども確認されていない人物で。それが自宅から遠く離れた空き家なんかでいったい、なにをしていたのか」

「例えば単なる焼死ではなく、他殺の疑いがあるとか、そういう可能性は？」

「ほぼ皆無。遺体に不自然な外傷は認められないし、一酸化炭素中毒死であることもまちがいない。お断りしておくと、遺体からアルコールや薬物の類いも検出されていない」

「となると、ひょっとして自殺？　灯油が撒かれていた、ということは。そこが空き家であると承知の上で、その仁賀奈氏が自分で持ち込んで、火をつけた？」

「一見そんなふうにも思える。ところが、道路を挟んで藤永邸の斜め向かいの空き地にセダンが一台、放置されていたんだけど。調べてみると、これが仁賀奈結太のものと判明。彼が自分でその車を運転して、高和市から桑水流町へ来ていたことが、搭載のドライヴレコーダーの記録により裏づけられた。と同時に、問題の出火前後の記録には極めて興味深い映像が残されていた」

それは走行中ではなくドライヴレコーダーの駐車監視機能によって当該空き地に停車した後で録画されたもので、モーションセンサーが捉えていたのは家屋から出火する、およそ十数分前に、ひとりで歩いて藤永邸へと入ってゆく人物の姿だ。

「セミロングでスカート姿の、ぱっと見、女性とおぼしき」

「十数分前、ということは、その女が家へ入っていった直後に火が出た？」

「だいたい十五分後くらい。道路側の窓からいきなり炎が噴き上がった。車内に居た人物が反応し。やばいッ、と焦（あせ）ったように声を上げ、運転席から跳び出していった。セダンのほうに背中を向けて藤永邸へと走ってゆく後ろ姿は、角度的に顔が明確に捉えられてはいないけど、その背格好からして、まずまちがいなく仁賀奈結太だと考えられる」

「えと、つまり。それまでずっと空き地に停めた車のなかで待機していた仁賀奈氏は火事に気づき、慌てて藤永邸へ駈けていった。それは、先に家のなかへ入っていった女性を救出しようとして、とか。そういうこと？」

「どうやらそんなふうに思える。ところが問題の女のほうは、というと。映像を見る限り荷物はなにも持たずに藤永邸へ入っている彼女だが、どうも灯油をあらかじめ屋内のどこかに準備していたんじゃないかと。すでにあちこちに撒いてあったりしたかもしれない。最初から放火するつもりだったので裏口かどこか、実行後は即座に自分が脱出できるルートも確保していた。いっぽう、そうとは知らぬ仁賀奈結太は必死で女の姿を探し、かなり広大な屋内を駈けずり回っているうちに煙に巻き込まれ、逃げ後れてしまった」

「ちょっと整理させてくれるかな。えと。そもそも仁賀奈氏が斜め向かいの空き地に停めた車のなかで息をひそめていたのは、女の行動を監視していた、ってこと？身辺調査に当たる探偵かなにかみたいに？」

「生前の彼に探偵事務所の調査員などの職歴は確認されていないものの、一見そんなふうに思える状況ではある。これだけでも充分に奇妙で謎めいているんだが、さらに驚くべきことがあったんだ。ちなみに刻子は、桑水流町の孝美の実家へ行ったことはある？」

「ううん。あたしが知り合った頃の孝美は、とっくに実家とは距離を置くようになっていたから。お招きいただく機会は無かった」

「藤永邸は木造の平屋で、住居部分と納屋、そして土蔵が四方から中庭を取り囲む配置になっている。なんでも昭和四十年頃までは冠婚葬祭を自宅の広間で執り行っていたというくらい広い、如何にも田舎(いなか)の旧家って趣(おもむ)き。全焼という言い方を便宜(べんぎ)上しているけど、厳密には丈夫な土蔵は焼け残っていて、隣接する納屋も半焼程度。その納屋の内部の土間の焼け跡の隅っこが妙に抉(えぐ)れているので、詳しく調べてみた。すると明らかに何者かがその地面を掘った後、古い家具の廃材かなにかで穴を覆(おお)い隠していた痕跡が認められたため、その箇所を掘り返してみたところ、なんと、人骨らしきものが出てきた」

　グラスを傾けかけていた手を止め、刻子は眼を瞠(みは)った。「……人骨。ほんとに？」

「状態が古く風化しかかっていたものの、鑑定の結果、たしかに人骨であると判明した。しかしどうして、そんな場所に埋められていたのか。その経緯はもとより、死因や性別などもいっさい不明。かろうじて、女性なのではないか、と推測されているだけで」

「そういえば骨盤だっけ？　その検視で性別の判定が可能だ、とか聞いた覚えが」

「白骨化して間もない遺体ならばね。でも今回はその崩壊の度合いからして死後、どう少なく見積もっても三十年は優に経過していると思われ、判定は困難というか、ほぼ不可能っぽい。ただ、遺体に巻きついていた下着を含む着衣一式の残骸については、女ものと断定しても差し支えなさそうだから、と」

「それだけでは断定できないんじゃないの。女装していた男性なのかもしれないし」

「まあね。ただ興味深いことには、その着衣というのが地中に推定三十年も埋まっていたんだから当然ボロボロなんだけど、よくよく調べてみるとどうも、そっくりのようなんだって。彼女が着ていたものと」

「彼女、って。どの？」

「ドラレコに映っていた女。出火直前の藤永邸へ入っていった後、行方知れずの」

からん、と氷を鳴らせながら、ゆっくりハイボールを口に含んだ刻子は、しばし視線を宙に彷徨わせた。「一応、念のために確認だけど。焼け跡から発見された遺体は、その古い人骨を除けば、仁賀奈結太という男性のものだけなんだよね？」わたしが頷くのを待って、続ける。「まさか、とは思うんだけど。先に空き家へ入っていった女はひょっとしたら火災からうまく逃げおおせたわけではなくて、そもそも実在していなかったんじゃないか……なんて妄想にかられたりしていないよね、警察の方々は？　ドラレコに映っていたのは本物の人間ではなく、地中に埋められていた女性の幽霊だったんだ、なんて」

「ほたるによるとぶっちゃけ、まさしくそういう意味の与太を吹いていた同僚がいらっしゃるそうですよ。もちろん冗談だけど」

「じゃあドラレコに映った人物と地中の人骨の服装が合致したのは、単なる偶然だと」

「たしかに。偶然だと解釈する他なさそう。だけれども、なかなかそのひとことではかたづけ切れない真打ちは、いよいよここからご登場で。ようやく本題に入れそうだ」

「は。え、前振りだったの、ずっと？」

眼を丸くする刻子にわたしは再度、自分のスマホを「さてお立ち合い」と指し示した。金髪碧眼の女性モデルがパフスリーブのロング丈Tシャツ、デニムサロペットのスカートとカラータイツに身を包んでいる画像を。

「まさか、これと同じ服装だったの？　そのドラレコの女と、そしてその人骨が？」

「謎の女が、三十年ほど昔の孝美を連想させるファッションで彼女の実家へ入ってゆき、忽然と姿を消した。おまけに焼け跡の地中から、やはり同じような装いだったとおぼしき人骨が発見されたとくる。はたしてこれは、いったい如何なる符牒(ふちょう)の類いなのやら」

「三者の服装の部分だけ切り取ってみると、なんとも意味ありげだね。偶然の一致なのだとしても、なかなかのレアケースだ」

「藤永邸焼失とともに消えた女は、生前の仁賀奈結太となんらかの接点があったはず。その前提で調べてみると粕川紗綾香(かすかわさやか)という現在二十四歳、いわゆる家事手伝いの娘が浮上。話を聞いてみると彼女、たしかに一時期、結太くんと交際していたけれど、昨年の夏頃にお互い納得ずくで、もうきれいさっぱり関係を解消させていただきました、との由(よし)」

「それって、仁賀奈氏側の見解は?」

「彼のほうは納得していない、というか、粕川嬢にかなり未練たらたらだったらしい。本人には確認できないので、あくまでも複数の知人たちの証言によれば、だけど」

「ふむ。仮に藤永邸へ入っていった女がその粕川紗綾香なのだとしたら、こそこそ彼女を付け回すような真似を仁賀奈氏がしていた理由には一応説明がつくね。彼が突然の出火に躊躇(ちゅうちょ)せず、家のなかへ跳び込んでいったのも彼女を救い出さなければ、との一心で」

「そこで注目されるのが粕川紗綾香の服の趣味だ」と再度スマホの画像を示す。

「友人たちによると彼女はたしかに、こういうテイストの装いがお好みではあるらしい。しかし粕川嬢本人は当該日に限らず、桑水流町へは行ったこともない、と全否定している」

「仮に仁賀奈氏が、高和市から桑水流町まで車で誰かを尾行していたのだとしたら、走行中のドライヴレコーダーにその記録が残っているはずでしょ。調べれば対象車輌のナンバーだって、すぐに判るんじゃない？」

「仁賀奈結太が問題の女を追尾中とおぼしきドラレコ記録は鋭意解析中なんだけど、少なくとも現段階では、粕川嬢のものである軽ワゴンの映像は確認されていないらしい。もちろん、だからといって彼女が藤永邸へ行っていない、という証明にはならな……」

　ふと刻子の視線がわたしの肩越しに店の出入口のほうへスキップ。同時に、かたんッ、とロックされているドアを外から開けようとする音に、カウベルの響きが被さった。

　反射的に振り返ってみると。眼に飛び込んできたのは扉のガラス部分に両掌をへばりつかせて店内を覗き込んでくる、マゼンタの感染防止用マスクに、ぱっちり、まん丸く見開いたおめめ。油布（ゆふ）しえりだ。

思わずストゥールから立ち上がり、出入口のドアのロックを外すわたしの腕のなかに、しえりが待ちかねたかのように跳び込んできた。「ど。ちょ、ちょっと。おもい重い」

はしゃぎながら抱きつき、ぶら下がってこようとする少女の手を引いて後ずさる。そんなこちらの動きに合わせるようにして、しえりの双子の姉の油布みをりと、ギミーくんこと釘宮友頼が続けて店内へ入ってきた。

モスグリーンのマスク姿のみをりは「今日は店、お休みじゃないんですか？」と刻子とわたしへ交互に顔を向けてくる。今日は二〇二三年、二月十三日。月曜日。通常〈ＫＵＳＨＩＭＯＴＯ〉は定休日だ。が。

「とある身内の者に、なんとか今日お願いできないかと頼まれて。ほら。月曜定休の店、多いでしょ。で、特別に貸切で開けようと準備していたら、ついさっき突然キャンセル。でもせっかくお店へ出てきたんだし、なにもせずに帰るよりはと、こうして古都乃に来てもらって。プライベートな飲み会を」

「いいッ。いいなあ。すてきですね」と露骨に羨ましげな声を上げたのはギミーくん。わたしに取って代わって刻子とサシ飲みしたい願望が駄々漏れである。「あの、それで。こちらで何時頃まで歓談のご予定で？」

「特に決めているわけじゃないけど」無意識に壁の掛け時計を見上げたわたしがそ

の仕種の延長線上で、なんとなくそう答えないといけないような空気になってしまった。ちなみに現在、午後五時半。「刻子の明日の営業に差し障りのない程度に、まったりと」

「あ。ですよね。明日はヴァレンタイン・ディナーですもんね。わはい。おトキさん、今年のスペシャルメニューはもうお決めになっているんですか？　あ。いや。いいですいいです。見てのお楽しみってことで。はい」

「お楽しみといえば、釘宮さん、恒例の衣装のほうも気になりますね」まだそれほど酔っぱらっていないはずなのに、そんな軽口を叩く自分にわたしは戸惑ったけれど、途中で止めるのも変だしな。「明日はどんな仮装をするか、もう決めているんですか？」

わたしがギミーくんに初めて会ったのは昨年。十月三十一日、ハロウィンの夜。彼は黒マントにステッキというものものしい扮装でご登場あそばした。後日ご本人曰く、ジョニー・デップ演じるところのアルセーヌ・ルパンをイメージしたとの由で、下世話な話、お金のかけ方も半端ないとひとめで知れる、それはそれはお見事な出来映えであったと認めるにやぶさかではない。が。

例えばコスプレ大会とかコンテストとか、それ相応のイベントへのエントリー仕様というのならばまだしも。こんな小さなお店での内輪のパーティーの賑やかしのためだけに、三十代も後半のいい歳したおとなが、そこまでやっちゃうんですか？と。

あ痛たたと引きにひきまくっていたわたしだったのだが、その後。十二月二十四日のクリスマスディナーにはサンタクロースの恰好で。大晦日のカウントダウンには二〇二三年の干支であるウサギの着ぐるみで。衣装が特注なのはもちろん、子連れ参加のお客さんたちに配るプレゼントもすべて自腹と、〈KUSHIMOTO〉で催される各種パーティーへのボランティア・スタッフとして、尋常ならざる情熱を注ぎまくるギミーくん。

金持ちの道楽と言えばそのとおりだし、母親ほども歳の離れた刻子への恋慕ゆえという動機付けにしてもひとによっては眉をひそめかねない。わたし自身そういうネガティヴ評価を下しがちなのだが、この数カ月間、店でギミーくんと顔を合わせる回数を重ねてゆくうちに、だんだんとそのキャラクターに馴染んできたというか。妙な味わい深さが癖になってきたというか。生涯ずっと他人のふりで遠巻きにしておくつもりが、ふと気づくと彼のことをちょっと、いじってみたい衝動に駆られたりする自分が居るではないか。

なのでついつい明日の仮装の件に探りを入れてみた次第。でもよく考えてみたらヴァレンタイン・デイって、クリスマスといえばサンタクロースという具合に、素直に連想できるアイコンが無いのでは。ハロウィンのようになんでも自由というのもちょっとちがう気がするし。さすがのギミーくんも今回はお得意の仮装遊戯を封印か、と思いきや。

「もちろん。準備は万端。ばっちりでございます」と胸板を叩かんばかりに、ふんぞりかえる。え？　なんかアイデアがあるの？

我知らず、ぽかんと間抜け面を曝しているであろうわたしに向かって、しえりは諸手を挙げ、特大の円を描いてみせた。「あのね、こおんなに大っきなハート、なんだって」

「あ。お。うぁっと。だめだめ」ギミーくんは慌てて黒いマスク上の眼尻を下げつつ、窓拭きのような仕種で、しえりの鼻面の空気を掻き回す。「だめですよもう。まだ着心地も試していないんだから。ひみつです秘密。ハート形の、ゆるキャラのことは。ね」

って、おい。自分でバラしとるやんけ。などと野暮なツッコミすらも胸中こっそり楽しめる程度にはギミーくんのキャラに慣れてしまったのって、良いのか悪いのか。

「ではみなさま、また明日。よろしくお願いいたします」と、いつものように馬鹿丁寧にお辞儀すると、みをりとしえりを促し、ギミーくんは店を出ていった。三人が戸外(こがい)へ消えた後、カウベルの音が店内に残響する。

「みんなで、どこかへお出かけ?」と肝心の質問をし忘れていたことに思い当たり、遅まきながら独り言ちるわたし。「釘宮さんの全身ハイブランド・ファッション一式のコーディネイトに負けないくらい、みをりとしえりも可愛く、おめかしして。あ。そういえば、珠希(たまき)さんの誕生日が二月だとか言ってたような気が。そっか。あれって今日だっけ」

　珠希さんは、みをりとしえり姉妹のシングルマザーだ。「母娘揃(おやこぞろ)ってのお食事会に、釘宮さんも招かれ。ん。逆かな。珠希さんの誕生日のことを知った釘宮さんのほうから申し出て、お祝いの席を設けたとか?」

「多分それだ。みんなで楽しく盛り上がるための口実は、なんであろうと見逃さないのが釘宮さんだから。例えば古都乃の誕生日だって八月だと知ったら、きっと半年後に、とびっきりのサプライズを用意してくれるよ」

「刻子も、なにか記念日には彼に、どこかでご馳走(ちそう)してもらったりするの?」

「ずっとお誘いはいただいているんだけど。その都度、丁重(ていちょう)にお断りしています。もうしわけないけど、釘宮さんとは良いお客さんとしての距離感を見失いたくないし」

　刻子は、それが正解。なにしろあのギミーくんだ。うっかりロマンティックなムード演出の店へ連れてゆかれたりしたら、まさかいきなり彼女に指輪を差し出したりはしないだろうと思うものの、限りなくそれに近い、熱烈な求愛に及ぶであろう展開は確実。「ま、本音はどうあれ。それでも気を悪くしたり、態度をがらりと変えたりしない点についてはわたし、彼のこと、素直に感心している。でも、うーん。ちょっと心配は心配、かな」

「ん。古都乃が彼の、なにをそんなに？」

「釘宮さんて純粋に誰に対しても分け隔てなくフレンドリーでマイペースなだけでしょ。なのに、食事に招待されたことを自分に対する特別な好意ゆえ、みたいに。もしも珠希さんが誤解しちゃったりしたら、と思うと」

「で、積極的になった珠希さんに彼が押し切られて結婚しちゃうんじゃないかと？別にいいじゃない。そうなったら、なったで」

「まあね」と苦笑混じりに頷きかけたわたしは、ふと己れが抱いている昏い懸念の正体に思い当たった。そして愕然となる。

　仮にギミーくんが、ほんとに珠希さんと結婚したとしよう。その場合、みをりとしえりは当然ながら彼の義理の娘たちになる。勤め人ではないギミーくん、金銭的のみならず時間的にも余裕たっぷりのご身分。従って双子姉妹の世話も、いきおい彼が担うようになるのが自然な流れなわけで、つ、つまり。

つまり珠希さんが多忙で自宅での食事が難しい折の双子姉妹の〈KUSHIMOTO〉へのアテンドの役割もまた、このわたしからギミーくんへと取って代わられてしまう……そう思うと、先刻の三人が連れ立って店から出てゆく後ろ姿がフラッシュバックし、疎外感のあまり、ほとんどパニック状態に陥る。そんな己れに呆れ果ててしまった。

いまわたしが囚われている感情は紛れもなく嫉妬で。それだけでもめんどくさいのに、しかもその妬っかむ相手が他ならぬギミーくんだなんて、どゆこと。いや、どうもこうもない。要するに、みをりとしえりのアテンドはわたしがやるんだよッ、という醜い独占欲に自分は振り回されている……嗚呼。なんなんだいったい、と嘆息が洩れるばかり。

焼きが回るってこういうことなのかと、ただひたすら自己嫌悪にかられているわたしの前に、刻子が大振りの皿を置いた。スモークサーモンのサラダ。おっと、これが今日の貸切予約用のはずだったメインかな。たしか刻子のお兄さんの大好物だと聞いている。

「真面目な話、珠希さんが猛烈にアプローチしたとして、釘宮さんがその気になるかどうか、これはなんとも言えない。もちろん、なにかの拍子に彼が珠希さんに惹かれた場合、結婚への道もすんなり拓けるかもしれない。けれど、釘宮さんが彼女の存在を自分の人生のパートナーとしては捉えられず、ただ先方の勢いに押し流されるがままに所帯を持ってしまう、なんて展開は絶対あり得ない。ああ見えて釘宮さん、芯は一本しっかり通った、頑固一徹でブレないひとだから」

昨年市内で起きた某重大事件の重要参考人をギミーくんがたまたま知人というだけで、ことの重大さをまったく認識せぬまま危うく隠匿してしまうところだった一件を改めて憶い出す。「はい。ようく存じております。ところで」わたしはスモークサーモンを、ひときれ口に放り込んだ。「今日お店を開けてと頼んできた身内って、お兄さん？」

「ううん。その息子のほう」との答えに、はたと憶い出す。そうだ。刻子って、詳しい事情は全然知らないけど、現在お兄さんとは断絶状態という話で。詮索するつもりなんか無いのに、よけいなことを訊いてしまった。

「もしもお義姉さんがいまも生きていたら、と思うときがある」あるいはこちらの胸中に気を遣ってなのか刻子は、やや唐突にそう呟いた。「そしたらあたしたち兄妹の関係も、もうちょっと良好を保てていた、かも」

「ご病気だったっけ。お兄さんの奥さま」

「我が兄にはもったいないような、いいひとで。佳人薄命というのか……今日来るはずだった甥っこが小学校へ上がる前に、癌で」

「一般論だけど。男って妻に先立たれると、どッと弱っちゃうパターンが多いね」

話題を無難な方向へ修正しようとでもしたのか、脈絡があるのか無いのか我ながらよく判らないことをとっさに口走る。「うちの父も、母が死んだ直後は、もう生ける屍（しかばね）も同然で」

「ある種の退行現象を起こすのかな。兄は典型的な妻依存型の男で、自分の世話ができない。お義姉さんが居なくなった途端、自宅が荒れ放題になってしまった。辛いときこそ甘やかしちゃいかんと心を鬼にしていたあたしもさすがに見かねて、かたづけを手伝いにいったんだ。そしたらそこで兄が葬儀以降、ずっと義姉の部屋で寝ていることを知った」

「もともと夫婦の寝室は別々に？」

「新婚当初からね。妻に甘えるばかりに見えた兄にもお互いのパーソナルスペースを尊重する慎みがあったんだと、ちょっと感心したけど、それはともかく。ある朝、少し早めに家へ行ってみたら、兄はお義姉さんが使っていた寝室のベッドで眠っていた」

「お兄さん、ずっとそうしていたの？　奥さまが亡くなられてから」

「喪失感に堪え切れず、亡き妻の残り香、温もりみたいなもので我が身を包み込みたかったのねと、そんなふうに思った。だけど兄に言わせると、ちょっとちがう。

単に少しでも寂しさを紛らわせたいだけなんだ、と」

「同じことなんじゃないの、それ？」

「代償行為という意味ではね。ただ兄曰く、妻の寝室には誰も居ない、というその不在感が途轍（とてつ）もない空虚として迫ってくるんだ。自分の部屋で独りで寝ること自体は従来と変わりない。なのに隣りの部屋が空っぽだと意識した途端、その虚無の圧に押し潰されそうになるんだ。ならば妻の空っぽのベッドをなにかで埋め合わせれば少しはその哀しみが軽減されるんじゃないか。そう考え、自身の身体でその空虚を塞（ふさ）ごうと試みているんだ。とまあ、ざっとそういう意味の説明を」

「なんとなく判るような判らないような」

「あたしはそのときは正直、ぴんとこなかった。でも歳を重ねて、身近なひとたちが旅立つことが多くなってくると、空虚が迫ってくる、というその感覚が切実に……」

　と、そこへ唐突にサイレンが戸外で鳴り響いた。消防車だ。けたたましい音がぐんぐんこちらへ接近してきたかと思うや、ドップラー効果を境いに緩やかに遠ざかってゆく。

「どこら辺だろ。もしかして、また……ん。あれ？」ふと眉根を寄せた刻子はそのまま、たっぷり数秒間も固まった。「んん？」

おもむろにグラスを手に取ると、ハイボールをゆっくり、がっつり呷る。「うーん」と腕組みをして。「ちょっと変なことを思いついたんだけど。孝美の実家が焼失したのって昨年の十一月、だったたんだよね」

「うん。孝美の誕生日の、二十七日」

「その翌月にも市内で火事があったでしょ。知らない？　具体的に十二月の何日だったかとか、どこでだったかとか、すぐにはちょっと憶い出せないんだけど」

「いや、知らない。それが？」

「問題は年が明けて、その翌月に、またもや火事があったことなの。ニュースではやっていなかったかもしれないけど、今年の一月。その先月の分が店の某常連さんのご近所だったらしくて。先週、食事にきていたときに、しきりにその話をしていた」

「……それが？」

「二件とも放火だったようなんだ。しかも、それだけじゃない。焼失した家屋は揃って、空き家だったらしい」口を開きかけたわたしを刻子は掌を掲げ、押し留めた。「お断りしておくけど、これって全部そのお客さんからの受け売りで。あたしは自分でネット情報などを確認したわけではない。けれど、なにか符合を感じない？　ひょっとして昨年の十一月の藤永邸の放火は先々月と先月の放火事件と、例えば同一犯じゃないかとか、関連づけて考えられてたりするの？　それとも警察はその点にまったく着目もしていない？」

「さあ、どうだろ。少なくとも未だ、そんな話は、ほたるから聞いていない。桑水流町の火災の件がわたしの同級生の実家であることは彼女も承知しているから、もしもそんな関連性が検証されているのだとしたら、もうとっくに。あ、でも。一応すでに留意しているとしても、なんだか雲をつかむような話だから。わたしに披露するのは、もうちょっと詳しく吟味してから、と控えているのかも」

わたしはスマホを手に取った。アプリを開き、ほたるにＬＩＮＥ。昨年十一月の藤永邸を皮切りに三件連続で空き家放火を疑われる事案が発生している模様だが、例えば同一犯の可能性の有無について警察の見解は奈辺に有りや、云々の質問をタップで送信。

なるべく手短にまとめようとしたのが、けっこう長文メッセージになってしまった。こういうの、おばさん構文だとか失笑されるんだろうなあと自嘲する暇もなく、すぐに既読が付いたものだから、ちょっとびっくり。

かと思うや着信。ほたるから電話がかかってきた。な、なんだ、この打てば響くかの如き速攻レスポンスは。こんな展開、めずらしいな、と戸惑ったせいで「もしもし」のひとことが、とっさに出てこない。

「お母さん、どうも」と、ほたるの声が先んじてこちらの耳へ流れ込んでくる。

「てっきりテレパシーでもお遣いなのか、と思っちゃいました。ちょうどいま、こちらから連絡しようとしていたところだったので」

「なにかあったの？」

「例の桑水流町の放火の件で気になる事実が判明したのですが、ちょっと込み入っているので。直接会って話せませんか。いま、どちらのほうに？　自宅ですか、それとも」

「刻子の店」

「いつものデートですか、油布さん姉妹と」……他意は無いのだろうが、こちらが複雑な心地になる軽口をほたるは、さらっとのたまう。「今日はお店は定休日なのでは？」

「みをりとしえりは居ません。純然たるプライベートでのサシ飲み」刻子が頷いて寄越すのを確認し、付け加えた。「なので、いまから来てもらってもだいじょうぶだよ」

「それはまことに願ったり叶ったり、といいますか。久志本さんにもいずれお話を伺わなきゃいけない、と思っていたので」

「刻子に？　なんで？」

「たしか久志本さんも親しくされていたんですよね、生前の藤永孝美さんとは」

自分の実の母親のことをそうとは知らずに「さん」付けする、ほたるの恬淡と事務的な口ぶりに一瞬、ひやりとするわたし。と同時に「え？」と惑乱してしまった。孝美がこの事案になにか関係でもあるの？　まさか、ドラレコの女と身元不明の人骨とたまたま服装の趣味が合致した件、じゃないよね？

「詳しくはそちらへ行って、また改めてお話しいたしますが」こちらの動揺に気づいたふうもなく、ほたるは淡々と続けた。「焼死した仁賀奈結太が交際していた女性。粕川紗綾香ですが、その父親は粕川光昭といって、現在五十三歳。この方、ご存じですか」

「いや。そういう名前に聞き覚えはない、と思うけど。どうして？」

「実は旧姓が藤永光昭、なんだとか」

「え……えッ？」

「桑水流町の藤永邸に住んでいたことがあるそうです。およそ三十三年ほど前まで」

ということは粕川光昭って……糸子さんの連れ子で、孝美の義理の弟だったひと？


〈つづく〉

きたきた捕物帖 第四十七回

気の毒ばたらき

その十三

宮部みゆき

Miyabe Miyuki

イラスト：三木謙次

十三

それは、ざっくり半年前のことだという。

「うちでは、洗濯はぜんぶお染の仕事でしたけれど――」

それは北一も知っている。いつもお染が一人でこなしていたから、北一はときどき手伝ったものだ。

「ある朝、盥に山積みになっている洗濯もののなかに、うっすらと血のしみがついたものがあったんでございます。引っ張り出して見てみたら腰巻きだったから、びっくりして、すぐお染を問い詰めました」

するとお染は恐縮し、口ごもりながらこう白状したのだという。

――あいすみません。あれはあたしの腰巻きです。一年ぐらい前から、たまに血が出ることがあって。

「月のものじゃありませんよ。お染の歳じゃ、とっくに上がってます。お腹の病のせいだったんですよ」

お染が言うには、一年どころか二年以上前から、朝夕に腹痛があった。季節の変わり目が特にひどかった。歳のせいだろうと気にしないようにしてきたが、ここ数ヶ月で妙に下腹が膨らんできて、腰巻きにも頻繁に血がつくようになってしまった、と。

「何を食べても胃の腑に収まらないし、近ごろじゃ痛みで夜もよく眠れない。きっと命取りの病なんだろうと思います、なんて申してました」

淡々としていて、取り乱す様子はまったくなかったそうである。

お仲が小さくすすり泣き、手で顔を覆った。

言ってくれたらよかったのに、どうして一人で我慢してたのよ――

「気丈だったのだな」

栗山周五郎が低くつぶやく。それでなくても塩辛声だから、慣れていないと聞き取れぬほど、潰れたささやきだ。

「肺腑や胃袋の腫物だと、たいがいは血を吐く。下血するのは腸や、女の場合はこぶくろに腫物ができた場合が多い」

どちらの場合も、本人が痛みや出血で異変に気づく段階では、もう手の施しようがないという。

「そういう知識がなかったとしても、自分の身体のことだ。深いところで察知するものがあって、お染は覚悟をしていたのだろうな」

栗山の旦那の濁声にこもる優しさに、北一は鼻先がつんとした。

「あたしだって――びっくりして」

おたまが声を絞り出す。

「気の毒に思いましたよ。あんた、命取りの病だなんて、めったなことを言うもんじゃないよって、お染を叱りました」

お染はおたまの（例によってきんきん声だったに違いない）叱責にも、淡々と頭を下げるだけだったそうだ。

――身体が動くうちは、しっかり奉公させていただきますし、動けなくなってしまう前に、身の落ち着き先を見つけておきます。

「あたしが知っている限りじゃ、お染には身よりも、いざというとき頼れるあてもないはずでした。だから、落ち着き先なんてどこにあるもんかと言ってやったら」

それにもお染はただ温和しく、

――万作さんとおたまさんにご迷惑はかけませんので、心配なさらないでください。

そう言うばかりだった。

「あたしは……それにかちんときて」

おたまは唇を嚙みしめる。歪んだへの字の先がいっそう鋭くなる。しかし、こっちは当惑するばかりだ。

前回までのあらすじ

北一は、岡っ引き・千吉親分の本業だった文庫の振り売りをしている。「長命湯」で釜焚きをしている喜多次は、よき相棒だ。ある日、万作・おたまの文庫屋が火事になり、焼け落ちた。北一は、火をつけたのが女中のお染だと聞き、納得できず、調べ始める。やがて、お染と思われる土左衛門があがったと報せがくる。駆けつけた北一は、検視の与力・栗山周五郎から、亡骸の検め方について手ほどきを受ける。おたまは、お染の放火について何か知っている様子だったが、黙りを決め込んでいた。

「なんで、何にかちんとくるのさ」

お染さんはあんたに気をつかって、迷惑をかけないって言ったのに。

するとおたまは、睨み殺しそうな目つきで北一を見た。

「あのころは、千吉親分が亡くなって、うちの人が跡を継いで、四月ぐらいしか経ってませんでした。お店のなかじゃ、奉公人たちにも女中たちにも、うちの人を〈旦那様〉、あたしを〈おかみさん〉と呼ばせて、しっかり立場の上下を弁えるように躾けていたのに」

千吉親分が元気だったころの習慣が残っている者たちは、どうかするとうっかり、

――万作さん、おたまさん。

と呼んでしまうことがあった。

「そのたびに、あたしは大きな声で叱りました。言ってわからなきゃ、叩くときもありました」

早口に言って、ぐっと息を呑んでから、

「うちの人とあたしを馬鹿にして、わざと名前で呼ぶ者もいましたから。いえ、今だっていますからね」

おたまの口元から、まるで血しぶきみたいに、「悔しい」という感情が飛び散ってゆく。

亭主の万作には、それが見えるだろうか。おたまの肩を抱いたまま、身じろぎもしない。

「だけど、お染はそういうところ、とてもきっちりしていました。一度だって、呼び間違えをしたことなんかなかった」

千吉親分の死は、あまりにも出し抜けだった。後始末は大変で、混乱はなかなか収まらなかった。文庫屋を引き継いだ万作とおたまにも気苦労はあったろう。万事に立派すぎた親分と比べられ、嫌な思いもしたろう。

お染は歳もいっていたし、世間知のある女でもあったから、そのあたりの機微を心得ていたのだろう。ただの呼び間違いが、それで済まされない空気を読んで、気をつけていたのだろう。

「なのに、あのときだけはわざとみたいに、万作さん、おたまさんと呼んだんです」

それが、おたまの癇に障った。

「うちの人とあたしを侮って、あんたらなんか宛てにしない、もっと頼りになるお人がいるって、腹のなかで考えているんだろうって、とっさに思っちまったんです」

北一は思わずため息を吐きそうになり、ぐっと口を閉じてそれを止めた。今、「はあ」なんて息を吐いたら、おたまはそれもまた悪い方に解釈するに決まっているから。

「お染が頼りそうなところ、冬木町のおかみさんとか、富勘さんとか、あと、うちのお得意さんの顔も何人か浮かびました。お染はうちで長く務めてきましたから、台所のことはよく知ってました。出入りの八百屋とか米屋とか酒屋とか、あたしには全然わからなかったけれど、お染はいろんな人と馴染んでいて、親しくやりとりしてましたから、頼るのがそういうお店の旦那やおかみさんだったりしたら、なおさらうちの人とあたしは赤っ恥です」

普段のおたまだったら、その考えで頭がいっぱいになり、思いつくままにお染を罵倒し責め立てていただろう。でも、そのときはさすがに、違う方向に心の風が吹いた。なにしろ、お染は死病にかかっているらしく、もう長くないのだから。

だから、

「あんたがどこを頼るつもりか知らないが、うちの旦那様だってあたしだって、これまでよく働いてきてくれたあんたを、ただ見捨てて放り出したりするもんか。いよいよとなって、あんたがうちから出てゆくというのなら、まとまったお金を包んでやる――そう言ってやったんですよ」

嘘だろ。北一はそう声に出して言いそうになって、今度もかろうじて堪えた。おたまがお染に「まとまった金を包んでやる」なんて、天地がひっくり返ったってありそうにないことだ。だけど、忠義一途の働き者で、おたまがどんなわがままを言ったって「はい」と呑み込んで従ってくれてきたお染が、早晩この世からいなくなってしまう――なんてことは、おたまにとって充分に天地がひっくり返るくらいの衝撃だったのだろうから、ものすごく珍しい仏心みたいなものが湧いてきたのだとしても不思議はない、の、かもしれない、と考え直したからである。

これはお染本人も同じだったのだろう。ちょっとのあいだ言葉もないほど驚いていたという。そして我に返ると、今度はすがりつくように問うてきた。

――おかみさん、それは本当ですか。本当に、もう役立たずになるあたしにお金を包んでくださるんですか。

「こんなことで嘘なんかつくもんかって、あたしは申しました。だけど、これはあたしとあんたのあいだだけの話だよ。旦那様に言うと、面倒くさいことになるからね。他の誰にもしゃべっちゃいけないよって言いつけて、その場は切り上げたんです」

洗濯物が山積みになった裏庭から引き上げてゆくおたまを、お染は地べたにひれ伏して見送っていたそうである。

「どれぐらいの額を包んでやる腹づもりでいたんだ」

沢井の若旦那が久しぶりに口を開いた。端整な顔に、目立つ表情はない。目尻が眠そうに垂れている。

「さあ」おたまは正直にたじろいだ。「あのときは……どんな病かあたしにはわかりませんでしたし……。どのくらいならよかったんでしょうか」

　おたまは若旦那に問い返すのではなく、亭主の万作の顔を見る。万作は分厚い瞼をしばたたき、女房のまなざしから目をそらした。

　代わりに、お仲が言った。「お染さんが住み込みのまま死んでしまった場合の早桶代くらい？」

　だったら涙金である。お仲の声音にも、小さな棘があった。

「しかしお染は嬉しかったろうな」

　辛いときに、期待していなかった温情をかけられたのだ。地べたに平伏するほど、おたまに感謝していたというのも不思議ではない。

「それで」と、若旦那が先を促す。「おまえはその約束を果たしたのか」

　おたまの口元が真一文字になった。こりゃ、意固地なへの字よりもまずいかもしれない。閂がかかっちまった。

　北一は、おたま以外の人びとの顔を見回して、言った。「お染さんが寝込んだり、見るからに具合悪そうにしていたなら、まわりの誰かが必ず気づいたでしょうし、おいらやお仲さんの耳にも入ってたはずだから」

　その後のお染の様子に、大きな変化はなかったのだろう。それまでどおりに働いて、それまでどおりに寝起きしていた。そうできたので、金の話は持ち出されぬまま棚上げになっていたのか。

「――一月ぐらい前に、催促されました」

これ以上ないほど平べったい声を出して、おたまは言った。聞き取るこっちの肺腑も潰れてしまいそうになるほど、押し殺した声だ。

「お染が、あたしが一人で帳簿をつけてるところに来て、いよいよお暇をもらって他所へ立ち退くから、いつか約束してくださったお金を頂戴したいって言ってきたんです」

身体は固まっているのに、おたまの両手はうずうずと動き出す。言いにくいことを吐き出して、身体が内側から逆なでされる。その気持ち悪さを堪えるために。

「どこへ立ち退くんだって、あたしは訊きました。あてなんかないのに、お金ほしさに嘘をついてるんだろうって言ってやったんです。べつに、意地悪のつもりじゃなかった。本気でそう思ってましたから」

いきなり、お仲が毒づいた。「このくそ女」

みんな驚いた。なかでも、おたまがいちばん面食らった顔をした。そして鋭く言い返した。「あんたなんかに言われる義理があるもんか」

「くそ女、鬼、人でなし」

お仲は口を尖らせて、それだけ吐き出すと、また急に目元を押さえた。声を殺して泣いている。

「嘘をついているんだろうというおまえの剣突に、お染は何と答えた？」

沢井の若旦那が穏やかに問う。どうして怒らずにいられるんだろう。この方は心が半分くらい石でできているのかな。

「──息子のところに行くんだって言いました」

ここまで煮え湯のなかでのたうっていた北一の心に、一筋の爽やかな風が吹き込んだ。

お染の息子。

子供がいた。やっぱり、冬木町のおかみさんは正しく見抜いていたんだ。

「千吉親分はどうだったか知りませんが、うちの人もあたしも、お染の生まれ育ちを知りません。あの女の身の上話を聞く折なんかありませんでしたしね」

だが、幸せな生い立ちではなさそうなことぐらいは見当がついていた。

「本人も、そう詳しいことをしゃべっちゃくれませんでした。ただ、あの女がまだ小娘で、男女のことなんかよくわからないうちに、運悪く妊んじまったことがあるんだって」

お染の話ぶりからすると、それは金で身を売った（売らされた）のではなく、悪い男の手にかかった結果であったようだった。

「身体が大人の女になりきってなかったから、お産は重くて、お染は危うく死にかけたそうですよ。それでも子供は無事に生まれて、元気な男の子だったもんだから、差配さんの仲介があって、里子にもらわれていったそうでした」

そのときお染とお染の両親は、二度と子供に会わないこと、子供の行方を詮索しないことを固く約束させられた上で、二両もらった。

その二両がどこに消えたのか、お染は知らない。父親と母親はその金を仲良く一両ずつ分けて、お染を捨ててどこかへ消えた。

「お染は一人で何とか働いて食いつないで、そのうち縁があって千吉親分の文庫屋に奉公したんだそうです」

それからは、ずっと千吉親分の台所を守って暮らしてきた。誰かと所帯を持つことも、子供を産むこともないまま、歳をとってきた。

「里子に出した息子のことは、あんまり昔の出来事なんで、お染本人も、ホントに自分が赤子を産んだことがあるのか、夢だったんじゃないかってあやふやになるくらいで……」

息子のために涙したり、一目会いたいと恋い焦がれたりすることはなかった。ただ、ぼんやりとでも息子のことを想うときには、どこでどんな人生を送っていようと、幸せでいてくれるようにと祈っていた。

「そしたら、腰巻きのことであたしと話をするよりも、さらに三月ぐらい前のことだったそうですけど」

息子の方から、お染を探し当ててきたというのである。

「もちろん、いきなり本人が来たわけじゃありません。お使いというか……弟子がね」

「弟子？」

問い返した沢井の若旦那に、おたまはつと口の端を吊り上げて、言った。

「お染の息子は、町医者の先生になってたんですよ。大勢の患者を抱えていて、弟子までとってる先生に」

ただし、残念ながら金持ちではなかった。

「大繁盛の町医者の先生は、往診には輿に乗っていって、門前には患者が市をなして、一代で蔵が三つも四つも建つとかいいますけど、お染の息子はそういう先生じゃありませんでした」

薬礼を払うどころか、粥を食うことさえままならぬような貧乏にあえぐ患者ばかり、進んで診てやっている奇特な医者であった。

どうやら、お染の赤子をもらってくれたのも、あまり流行らぬ町医者とその妻であったらしい。で、その夫婦に育てられた里子は、金儲けよりも困っている患者を助けることの方に心を砕く立派な貧乏医者になったたというわけなのだった。

「本人は、自分がもらわれっ子だってことは、小さいころからご存じでね。いつかは実の親に会いたいと思ってた。でも、育ての親が元気なうちは、そんな不孝はできないからって慎んでいて」

育ての両親を無事に見送ると、本腰を入れて実の親を探し始めた。金はないが患者は大勢いるから、自然と先生の顔は広くなる。患者はみんな先生に感謝しているから、こぞって実の親探しを手伝い、さほど苦労することもなくお染を見つけ出したというわけである。

「ただ、見つけたお染がどんな立場でどんな暮らしをしてるかわからないし、もしかしたら迷惑がられることだってあるから、事をおおっぴらにはしていなかったというわけで」

なので、お染から打ち明けられるまでは、万作もおたまも何も知らなかったのである。

「どこに住んでいる、何という医者だ」

当然のことを、沢井の若旦那が尋ねた。栗山の旦那もちょっと身を乗り出し、

「市中の町医者なら、私の知己が多い。名前を聞けば、知っているかもしれん」

おたまは何も言わない。二人の旦那の顔色を窺って、万作が女房の肩を揺さぶっ

た。

「おい、どうしてお返事しないんだよ」

おたまは乾（かわ）いたくちびるをなめた。ずっと話していて、喉（のど）も舌（した）もくちびるもかさついている。水を持ってこようかと、北一は腰をあげかけた。

と、おたまがぺっと吐き出すみたいに言った。「お染は口を割りませんでした」

「え？」

「あたしもしつこく訊いたけど、お染は言わなかったんです。息子の名前も、住んでるところも」

ほら、ごらん。やっぱり嘘なんだ。でまかせなんだ。

「小娘のころにうっかり産んじまった赤ん坊が、いつの間にか立派な町医者の先生になってて、実の母親を探しにくるなんて、話ができすぎですよ」

栗山の旦那の後ろに小さくなっていたお仲が、いよいよ我慢できなくなったのか、ぐいっと前に出てきた。目は泣きはらしているが、瞳（ひとみ）には怒（いか）りの光がある。

「そんなの、あんたが決めつけられることじゃないでしょ」

「ふん。あんたこそ、日がな一日鍋（なべ）をかき回してるだけのおつむりで、わかったようなことを言うんじゃないよ」

お仲の顔が怒気（どき）で赤らみ、瞼の上だけが血の気が引いて真っ白になった。今にもおたまにつかみかかりそうだ。北一は慌てておたま仲に近寄り、その肩を抱いた。お仲は北一の指をぎゅっとつかんで、歯を食いしばる。

お染がそこでおたまに大事な息子の名前や身元を明かさなかったのは、できることなら息子とおたまを結びつけたくなかったからだろう。お染自身は、遠からずこの世からいなくなってしまう。残った息子とその家族が、何かと面倒なところの多いおたまに絡まれたり、迷惑をかけられたりしないよう、お染は口を石にしていたのだ。

母親らしい気遣いだ。お染は、おたまに「ほら、やっぱりでまかせだ」と嘲られることなんか気にならなかった。息子の迷惑にならないことの方が大切だったのだ。

栗山の旦那が塩辛声を出す。「しかし、その名無しの権兵衛先生は、せっかくお染を探し当てたんだ。お染を呼び寄せて一緒に暮らし、母親孝行したかったんじゃないのか」

「そりゃそうでしょう。でも、お染はそれも断ったって言ってました」

「なんで？」

万作が、こっちの膝がかくんと抜けてしまいそうな、朴訥な声を発した。

「なんでって……貧乏患者をいっぱい抱えた貧乏町医者のところに、ただ産んだだけの母親が、招ばれたからって、はいそうですかって転がり込むわけにはいかないでしょ」

言い方はひどいが、言っていることはまあ正しい。

「名無しの権兵衛先生夫婦にも、子供はいるのか」

お染から見れば孫である。

「ええ、子だくさんだったそうですよ」

だとすれば、ますますお染は頼っていかれなかったろう。せめて元気いっぱいで、日々めいっぱい働けて、息子夫婦と孫たちと患者たちのために尽くせるならば話はまた別だが。

お染は歳をとっていたし、息子が探し当ててきてくれたころには、もう身体に異変を覚えていた。

ここまで聞いて、北一はようやく、話が一筋の糸になってつながって見えてきた。

「名無しの権兵衛先生が熱心に招いてくれても、お染さんは、やりくりに苦心してるだろう息子夫婦のところには行かれないと、ずっと断ってきた」

自分の身体の具合がよくないことも、息子には隠していたんだろう。そんなことが伝われば、もっと熱心に招かれてしまい、息子夫婦に余計な重荷を負わせるだけだ。

だが、しかし。腰巻きの血を見とがめられて病のことを打ち明けると、おたまはお染に、おまえが文庫屋に暇乞いをするときには、相応の金を包んでやると言ってくれた。

赤子を産んだきり、心の片隅で幸せを祈りつつも、これまでの人生で息子のために何もしてやれなかったお染は、この「相応の金」に驚喜したのだ。

「一月前に、いよいよ病で身体が辛くなって、もう潮時だ、文庫屋から出ていこうと思い決めたお染さんは、おたまさん、あんたに約束の金をくれと催促した」

もともとのお染の人柄では、そんなことはできなかったろう。貧乏患者のために奮闘している息子に渡す金——最後に果たせるたった一度の息子孝行だったから、お染は催促したのだ。約束のお金をください、と。

金に汚くて（その言い方がきつすぎるならば、金に細かくてと言い直そうか）、奉公人には意地悪で（これまた言い直すならば、厳しくて）、およそ思いやりとか親切心なんかこれっぱかしも持ち合わせていないようなおたまの口から思いがけず持ち出された金の話であったからこそ、お染は心の底から喜んだのだし、真に受けたのだ。その約束を信じて、恃まずにはいられなかったのだ。

「あんた、その金を包んでやったのか？」

北一の問いかけに、二人の旦那と万作とお仲がおたまを見る。ただ見つめているのは万作だけだ。旦那方のまなざしは、おたまを鑑定している。お仲は責めている。北一は——目玉の裏側が熱い。

「……だって、そんなのでたらめだから」

「でたらめじゃねえ！」

「なんでそう言い切れンのよ！」

「なんででたらめだって言い切れンだよ！」

ガキの口げんかのように、北一とおたまは声をぶつけ合った。

確かに、町医者の倅の話が真実であるかどうかは、ここではわからない。シロともクロとも言い切れない。でも、お染の気持ちは推し量ることができる。

お染は、おたまが約束を果たしてくれないから、困ったのだ。焦ったのだ。怒ったのだ。失望したのだ。

「何度も頼まれたんだろ？　そのたんびにはねつけたのか。それとも、鼻先ではぐらかしたのか」

「うるさい」

「それでもお染さんは、万作さんに言いつけなかったんだろ。万作さん、この金の話は聞いてたか？」

万作は思わずという感じで「いいや」と返事をしてしまってから、慌てて女房の顔色を見た。おたまは真っ赤になっている。

「うちの人に言ったら、かえってびた一文出さなくなるだけよ」

万作はさらにぎょっとした。俺は女房をかばおうとしているのに（し損じてはいるが）、女房は背中から俺に斬りつけてきてねえか。

「だ、だって……そんな余分な金はねえ」

情けねえ、おろおろ声だ。

万作が継いでから、文庫屋は儲けが落ちている。病で働けなくなり暇乞いしようという古参の女中に、涙金を包んでやることさえ惜しむほどに。

くそったれが。北一は叫び立てたい。そんなところで金を惜しむような性根だから、商いが上手くいかねえんだよ！

「何度お染さんが頼んでも、あんたは約束の金を包まなかった」

お仲がおたまに指を突きつける。まなざしも声音も鋭い。針ではなく、千枚通しだ。

「だから、お染さんは手文庫からお金を盗ろうとしたんだ。おたまさん、あんたがお染めさんを追い詰めたんだよ。わかってるのかい？」

お染が盗もうとしたのは、手文庫にしまってあった小判を三枚と、さし銭を一つ。薬礼を払えぬ病人を診てやり、自身は貧乏に喘いでいる息子に渡してやれる、置き土産。

「盗みのその場を押さえて、おまえはお染に文庫屋から出ていけと言った。それで間違いないか」

　栗山の旦那は眉間にしわを刻む。沢井の若旦那は人差し指で鼻の頭を掻きつつ尋ねる。

「……はい」

「お染は、おまえの仕打ちに腹を立てた。約束を破られたことを恨んだ」

　その念が煮詰まるだけ煮詰まって、盗み騒動の翌日、ついに放火をしてしまったのだ。

　お染にとって、あの店はもう千吉親分の文庫屋ではなかった。憎たらしいおたまがおかみとして君臨する、この世でいちばん憎たらしい場所でしかなかった。

　でも、放火なんて大罪を犯したら、自分も逃げる場所はない。いいさ、じきに病で死ぬ。その前に動けなくなる。息子夫婦に迷惑をかけぬよう、親しくしてくれたお仲に心配をかけぬよう、自分の身は自分で始末しよう。

　水に入れば、あの世はすぐそこだ。

〈つづく〉

松籟邸の隣人

第十七回

宮本昌孝

Miyamoto Masataka

第十四話 結の人（後編）

「さて……」

佐佐木高行伯爵が、膳に盃を置いて、居住まいを正した。

それを見て、天人もあらためて背筋を伸ばす。

「本日、わしが天人どのに会いにまいったのは、聖慮を伝え申すため」

天皇のお考え、お気持ち、思し召しを聖慮、叡慮、宸慮などという。

「伯爵。お言葉を遮って、まことに無礼とは存じますが、お伝えになられる前に、ひとつ伺わせて下さい」

「何なりと」

「聖慮はわたし個人に対するものでしょうか」

「さようにござる」

「では、ご容赦願います」

「お聞きにもならず、何故に」

「聖慮を明かされてしまえば、わたしは必ず従わねばなりません。ハイアラムは亡くなりましたが、それでもわたしは皆様とアメリカとを繋ぐ〝結〟でありつづけたい。そのためには、いまのままがよいと信じています」


明治十二年夏の延遼館東屋での会見をきっかけに、天皇とグラントは、太平洋で隔てられながら、書信をもって、互いの国家観や政治情勢や文化などについて語り合いつづける。

その中でグラントは、戦士だった元武士階級によって作られた日本政府が、何らかのきっかけで暴走することは避けがたいので、これに歯止めをかける権限を天皇がもつべきだと主張した。絶対的というのではなく、宮中と政府が等しく手を携え合う宮府一体の体制で、これもまた〝結〟である。むろん政府にとっては好ましからざる考えだが。

実は、この宮府一体の構想を、内政整備の目途が立たないうちは時期尚早でも、いずれ実現させたいと考えていた大物がいる。維新政府樹立の最大の功労者・

大久保利通である。高行や元田永孚らが期待をかけたその大久保は、しかし、明治十一年五月、暗殺されてしまう。以後、天皇親政をめざす者らは政府から睨まれることになったのである。高行と元田もいちどは政府の命により宮中より追放されている。ただ、剛毅の質の天皇自身がそれでも果敢に政治に関与しようとするので、これを危険視した伊藤博文が、井上毅を強引にお側へ送り込んだ。伊藤を中心とする薩長政府の成立や、内閣制度の創始などに暗躍し、その信頼絶大の井上は、伊藤の意を体して天皇と側近たちを監視した。

天皇と元アメリカ大統領との書簡交換となれば、井上から政府に必ず露見してしまうので、互いのやりとりは、吉田清成・駐米特命全権公使を経由して、天人と有栖川宮熾仁親王との間で行われた。あの会見後、天皇が最も信頼する皇族として、熾仁親王に個人的に引き合わせてもらった天人だが、両者の関係は別儀を装った。かつて熾仁親王がアメリカを親善訪問したさいに知己を得た資産家との交流ということにしたのだ。資産家の名は、グラントの旧くからの支援者のそれを借りた。

吉田の帰国後は、新公使として明治十七年まで在任する寺島宗則を介した。

しかし、その後任の駐米公使・九鬼隆一には関わらないよう、帰国前の寺島より天人へ伝えられた。九鬼は、天皇親政に理解を示す儒学的な傾向は強いものの、性格が尊大すぎて信用できなかったからだ。

折しも、その頃、シンプソン家は没落の危機に瀕していた。グラントの息子が共同経営するグラント&ウォード商会が倒産し、投資者のグラント自身も、多額の負債を抱えて全財産を失ってしまったのだ。もともとグラントは、ひとを信じやすいおおらかな性格であり、大統領時代にも信頼しきっていた補佐官や陸軍長官の汚職が原因で評価を急落させている。

また、永年のヘビー・スモーカーで酒豪でもあったグラントは、体を蝕まれており、やがて余命幾許もないと知れる。天人は、シンプソン家を救うため、『トム・ソーヤーの冒険』で知られるベストセラー作家マーク・トウェインからグラントへ、回想録を執筆するよう勧めてもらった。天人が命懸けの一か八かのギャンブ

前回までのあらすじ

吉田茂は父・健三が亡くなったため、若くして吉田家の当主になる。通っていた耕餘塾を卒業し、東京の中学に入り直すことになった茂は、実父の竹内綱の屋敷に住み、学生生活を送っていた。夏休みになり、茂は母のいる大磯に戻り、外相・陸奥宗光が療養する聴漁荘を訪ね、隣人で友人の天人と陸奥宗光夫人・亮子の馴れ初めを聞く。翌年、尋常中学校を卒業した茂が再び大磯へ帰ると、天人やそのファミリーを狙う者が現われ、孤児だった天人がシンプソン家の養子になった経緯が明らかになる。

ルで稼(かせ)ぐこともできなくはなかったが、それは決してジュリアが許してくれない。それより、グラント自身が家族を救ってから黄泉(よみ)へ旅立つなら、その尊厳を守ることにもなる、と天人は思い至ったのだ。

天人も執筆を手伝ったグラントの回想録は、二巻本の大著ながら、大ベストセラーとなり、シンプソン家に莫大(ばくだい)な印税収入をもたらした。一八八五年（明治十八）七月二十三日、避暑(ひしょ)と転地療養(りょうよう)のために滞在中だったニューヨーク州サラトガ郡のマウント・マクレガーの山荘で、ジェネラル・グラントは家族、友人らに見戍(みまも)られながら息を引き取る。数ヶ月間も激痛に苦しめられていたのが嘘(うそ)のような、まことに安らかな死に顔だった。

喉頭癌(こうとうがん)で声の出ないグラントは、事切(ことき)れる前に、指で天人の掌(てのひら)に文字を書いた。漢字だった。

「結」

グラントの遺言である。わが死後もアメリカと日本の和平に尽くす〝結〟でありつづけよ、という。

駐米公使が九鬼から陸奥宗光(むつむねみつ)に引き継がれても、天人は接近しなかった。亮子(りょうこ)とのことは無関係である。陸奥はきわめて優秀ながら、天皇親政を否定する廷政分離を貫(つらぬ)く伊藤博文との関係が深すぎたのだ。天皇そのひとも、陸奥のように西欧化に急進的な者を嫌った。

この頃、天人と、天人が救出して匿ったマイク一家に、ピンカートン探偵社の探索の手が徐々に迫りつつあった。自身のことだけならどうにでも対処できても、この先もアメリカでマイク一家を守りながら〝結〟をつとめるのは難しい。天人はマイク一家を日本へ移すことにした。さすがのピンカートン探偵社でも、日本には伝がないし、好き勝手もできない。

先に単身、日本へ渡った天人が、自身とマイク一家のアメリカにおけるピンカートン探偵社および富豪のキャシディ家との関わりを、熾仁親王らへ正直に明かすと、わが国内においては協力を惜しまないと約束してもらえた。ただ、東京や横浜に住むのはやめるべき、と忠告された。いまや異人を見かけるのはめずらしくない両地では警戒しづらいだろう、というのが理由である。東海道鉄道で両地とは楽に日帰りができて、かつ気候と景色の良きところを選ぶように、とも。

実は天人も、熾仁親王らに言われたことは当初より考えており、アメリカを発つ前から、住むなら大磯と決めていた。こうして大磯に五色の小石荘を建て、もはやファミリーであるマイク一家を日本に帰国させたのだ。

その後、天人自身は、ジュリアとシンプソン家への恩返しのため、幾度もアメリカへ戻り、回想録の印税を元手に、投機的でない事業で堅実に利益をあげて、かれらの暮らしを豊かなものにし、さらにはグラント将軍記念館の建設にも陰で奔走する。年々、船舶の速度が速まってきたことで、日米を繋ぐ太平洋航路の船旅の日数も、いまでは二、三週間だから、そうしたことが可能になった。

　この間、天人は、グラントが何より憂えていた日本と清国・朝鮮との関係悪化にブレーキをかけるべく、グラントの生前、アメリカの政財界でその支援者だった人々に、第三者として関係修復への尽力を要請したが、時期が悪すぎた。アメリカは、日清開戦の前年にあたる一八九三年（明治二十六）から、史上最悪の経済不況に陥ってしまったのだ。クリーブランド大統領はもとより、アメリカの誰であれ、他国のことに関わる余裕などなかった。

　天人は、日本に戻れば、熾仁親王らにも説いたが、政治実権のないかれらには、聖慮が非戦であっても、開戦を止めることなどできようはずもない。

　日清戦争は日本が勝利を収めたものの、列国の干渉により、実質的には大いに不満が残った。結果、日本は、江戸期にはうまく付き合っていた清と朝鮮に痛みを与え、恨みを買っただけで、なお帝国主義へと突き進むことになった。

　政府は宸襟、すなわち天皇のお心を一層悩ませる方向へ舵を切っている。その上、天皇に信頼される者らも次々と物故していった。

　明治二十四年に元田永孚、吉井友実、吉田清成が相次いで亡くなり、その二年後に寺島宗則、さらに昨年の明治二十八年には熾仁親王まで、天皇は失ってしまう。

「もしや天人どのは、聖慮を伝えにまいったというわしの一言で、すべてをお察しに……」

感服したように、高行が吐息を洩らした。

「本当に申し訳のないことです」

首を垂れる天人である。

自分のことを、天皇が側近くに置きたがっている、と天人は察したのだ。現実に、死の迫った熾仁親王を、舞子の有栖川宮別邸にひそかに見舞ったさい、天人は親王からそれらしいことを告げられている。

あまりに畏れ多く、至上の栄誉でもあるが、天皇の側近となれば、政府に目をつけられる。陰で日米を繋いでいるうちは、何らかの重大事が起こったとき、自由に動けて、少しでも役に立てることがあるはずだ。

「相分かり申した」

高行は、あごひげを撫でながら、微笑んだ。

「実はのう、天人どの。帝は仰せあそばされたのじゃ、天人は固辞いたすであろうな、と」

「さようでしたか」

もういちど、天人は首を垂れた。

「伯爵。ハイアラムも申しておりました。帝はひとの心に寄り添うことがおできになる。あれほど英邁な君主は世界中に幾人といないに相違ない、と」

「この国の政に携わるすべての者に聞かせたいお言葉じゃ」

感激のあまり、声を震わせる高行だった。

青々とした老松が生い茂る林の中に、塵ひとつない美しい砂地が広がり、颯々たる音も心地よく、そこから枝越しに山海の景色を望めば、さながら仙境に佇んでいるかのようである。

『大磯名勝誌』で右の如く紹介された長者林に、町田平吉という者が「美麗なる大厦高楼」の旅館を建てた。大厦とは豪壮な建物のことで、館名を松林館という。

「あたいから逃れられると思うたか」

「楽しいですか、子どもをいじめて」

「なんじゃと」

松林館の二階のひと間で、窓際に座すのは志果羽と茂である。松林越しに見える海は日没を迎えようとしている。

「茂は幾歳になった」

「来月には十八歳になります」

満年齢の換算である。

「もうおとなではないか」

「これがおとな同士の接し方でしょうか。いまの刑法に照らせば、誘拐罪の成立です」

「どこが誘拐じゃ、ここの晩飯を食わせてやるというのに」

「食わせてやるって……」

茂はまったく望んでいない。捕まって無理やり連れてこられたのだ。難を逃れた広志は、いまごろ田辺家に帰宅しているだろう。

「でも、意外です。志果羽さんが、こういうちゃんとしたところに泊まるなんて」

「あたいには野宿が似合うとでも申したいのであろう」

志果羽なら野宿するだけでなく、狩りの獲物の生肉を食らっても不思議ではない。が、そんなことは言えたものではないから、茂は黙った。

「浅草の刀剣商で、榊原道場に出入りしておられる町田平吉どのが、この松林館の創業者でな、いつでも泊まりにまいられよと、前々から言われておったのじゃ」

「そうなんだ」

町田は、東京・横浜の分限者たちを募って出資してもらい、松林館を建てた。

「とうに町田どのはここを手放したようじゃが、いまの経営者とご昵懇ゆえ、町田どのの紹介状を持参すれば、歓迎してもらえるのじゃ。だから、遠慮せずに食え」

「食えと仰られても、まだ膳は出てきてません。それより、ぼくに振る舞いをなさる目的は何ですか」

「いやな言い方をするな」

「当ててみましょうか」

にいっ、と茂は皓い歯をみせた。

志果羽が微かにたじろぐ。

「根掘り葉掘りお訊きになりたいのでしょう、天人のことを」

「ば……ばかを申すな。何であたいが、あやつのことなんぞ……」

「いいですよ、お訊きになって下さい。けど、ぼくも天人のすべてを知ってるわけではありません。いまだにどこか謎めいていますから、とくに女とのことは」

「なんじゃ、それは」

「それ、とは」

「じゃから、女とのことと申したではないか」

「ふうん……やっぱり、気になるんですね、それ」

茂は、思わせぶりな表情を、ゆっくり志果羽から逸らし、窓外の夕景を眺めやる。夏のことで、なかなか陽は落ちない。

（あ、媾曳だ）

海側の生い茂る老松の間に、ひと組の男女の姿が見える。あいびきは、「逢引き」が定着する以前は、会合、媾曳などの漢字があてられた。

明らかに女は拒んでいる。それを、男が無理やり引き寄せようとしているではないか。

遠目でも、茂には女に見憶えがあるような気がする。

「うっ……」

茂は首根っこを志果羽に摑まれた。

「楽しいか、あたいをいたぶって」

「痛いっ……ちょっと待って下さい、志果羽さん。あそこにいる男女が……」

「あきれたやつじゃ。こんなときに他人を盗み見とは」

「たしかめたいだけです」

手近に置いてある双眼鏡を摑んで、茂は両目にあてた。

「あのひと……徳川久子さまだ」

「天人にしつこくしてる尾張の姫様か」

「いま、志果羽さん、天人って言った」

「ばか。弾みじゃ、弾みじゃ」

「でも、尾張じゃありません。そっちは晨子さまです。こっちの久子さまは旧紀州徳川家のご息女」

「知り合いと申すか」

「幾度かお見かけしたことがあるだけです」

東京では実父・竹内綱の屋敷内に建てた別棟に住む茂だが、同じ飯倉片町の町内に久子の父・徳川茂承侯爵の本邸があるのだ。近くの往来で久子の姿を目にしている。

「妹の孝子さま、保子さまとで、紀州家ご自慢の美人三姉妹と言われています」

「嬉しそうじゃな、茂」

茂の首根っこを押さえる手に、志果羽が一層力を籠めようとしたとき、

「あっ……久子さまが危ない」

「二度も同じ手にのると思うな」

「本当です。木刀を持った者らがやってきたんです」

急いで、双眼鏡を志果羽に渡す茂である。

志果羽は、左手で茂を押さえつけたまま、右手に持った双眼鏡を目にあてる。

茂の言った通りだった。松林の中で、ひと組の男女が、手に手に木刀を握った筒

袖、裁着袴の男たちに囲まれるところだ。

（十人）

志果羽は、男たちの人数を、木の幹の向こうにちらりとしか見えない者も含めて、目敏く瞬時に数えながら、おのが男袴の左右の裾を摘み上げて、帯に挟み込んでいる。

「ここ二階ですよ」

志果羽が何をするつもりなのか察した茂は、止めようとしたが、止められるものではない。

窓から勢いよく飛び出た志果羽は、ほとんど音を立てることもなく鮮やかに庭へ着地した。茂が窓から上半身を乗り出し、下方を見やると、早くも志果羽は松林めがけて走り出している。

（まるで猫だ）

松本順の別荘でも、東京の平河神社でも、志果羽の武術を目の当たりにしている茂だが、やっぱり凄い、と思った。

松林へ躍り込んだ志果羽は、手近のひとりを、木刀を奪いざまに投げ飛ばしてから、久子と連れの男の前へ回り込み、ふたりを背後に庇った。

「何者か、おのれは」

包囲陣の頭目らしき者が、志果羽に向かって木刀を青眼につける。

「多勢に無勢は卑怯とみたまでじゃ」

落ち着いて男たちを眺め廻しながら、志果羽は応えた。

「これは、われら身内の争い事にて、余人の関わりは無用」

「身内とは、どこの誰の身内か」

「それは明かせぬ」

「方々が木刀を捨て、穏便に済ませると申すのなら、こちらも手を引く」

「女性は大事な御方ゆえ、恙なくお屋敷へ戻し奉るだけのこと。なれど、その男は懲らしめねばならぬ者」

「殺すのか」

「抗わなければ、乱暴はせぬ。縛して連れていく」

頭目の返答は正直なもの、と志果羽は感じた。

「皆、退がれっ」

志果羽の背後で怒号が噴いた。

振り返ると、久子の連れの男が、後ろから久子の体を抱き寄せて密着させ、その喉頸へ刃をあてていた。懐剣を隠し持っていたのだ。刃渡り八寸ばかりの匕首、と志果羽は見定める。

久子は、恐怖のあまり、がたがた震えて、悲鳴すら発せられない。

「やめよ、長之丞」

頭目が男の名を呼んだ。

「退がれっ。退がらねば、姫を刺す」

眼を血走らせてはいるが、怯えてはいない長之丞である。本気だ、と志果羽には分かった。

また、包囲の男たちも長之丞も元は武士で、武芸を身につけていることも、体つきや動きから察せられる。さしもの志果羽も、長之丞に手を出しかねた。

「皆、木刀を捨てよ。おぬしも」

長之丞が志果羽にも言った。

「分かった。言われた通りにするゆえ、姫を傷つけるでない」

そうこたえて、頭目が最初に、腰を落として、足許へそっと木刀を置いた。急激な動きは相手を刺激してしまうからだ。包囲陣の男たち全員が、これに倣った。志果羽も同じようにする。

包囲陣が輪を広げるのを見て、長之丞は久子を後ろからきつく抱いたまま、松林の中を浜側へ後退ってゆく。

「おれが浜へ出ても、誰も動くな。誰かが一歩でも追ってきたら、必ず姫を殺す」

頭目が、両腕を少し上げ、掌を下にして、皆が暴発しないよう目配せする。

「済まなんだ」

と志果羽は頭目に謝った。自分が乱入したせいで、こんなことになったと後悔しているのだ。

「謝ることはない。おぬしが飛び込んでまいらずとも、長之丞は同じことをしていたに相違あるまい」

志果羽が想像するに、この男たちは元紀州藩士なのかもしれない。徳川一門の大藩に仕えた矜持から、それなりの品位を保って生きてきた者が少なくないのではないか。

「あとは、あの者から、良心と主家への尊敬が消えておらぬことを願うばかり」

深く溜め息をつく頭目である。

林から砂浜へ出た長之丞は、前方の波打ち際に一頭の馬を見つけた。

「長之丞。わたくしを放しなされ」

ようやく久子が声を出す。

「そのほうを嫌いになりとうはない」

「とうにお嫌いにあられましょう」

涙声になった長之丞である。

「さようなことはない」

「叶わぬならば、ともに死ぬだけ」

足を早めて、波打ち際へ達した長之丞は、いったん匕首を懐中の鞘に収めてから、そこに佇む白馬の手綱を摑んだ。だが、鞍も鐙もつけられていない。

「アメリカなら縛り首ですよ、馬泥棒は」

近くの砂地に寝そべっていた者が、顔に被せてあるパナマ帽をとってから、むっくりと上体を起こした。天人である。日没前に西小磯から愛馬のプリマスを海岸に駆ってきたのだ。

「鞍をつけよ」

長之丞が、再び右手で匕首を抜いて、鋒を天人へ向けた。左手は久子の手首を摑んでいる。

「申し訳ない。わたしの馬は鞍嫌いなのです」

天人は、立ち上がると、ぶらぶらと長之丞のほうへ歩を進めていく。

「来るな。止まれ」

威されて、足を止めた天人だが、その場で指笛を鳴らした。

応じて、プリマスの平頸が振られる。

背に強い衝撃を浴びた長之丞は、二メートルばかり前の砂地へうつ伏せに突っ込んだ。匕首は放さなかったものの、久子とは離れてしまった。

天人が、長之丞の右手を踏みつけてから、易々と匕首を奪い取る。

久子は、もはや長之丞には目もくれず、松林へ向かって、叫びながら駆け出した。

「わたくしは、ここじゃあ」

これに気づいた十人の男たちも、松林から走り出てくる。

長之丞は、立ち上がって、かれらから逃げるが、すぐに追いつかれ、取り押さえられた。

志果羽が、天人のほうをちらちら見やりながら、頭目と何やら話している。その姿に気づいて、天人は手を振った。

頭目と別れた志果羽が、足早に天人へ寄っていく。

「あれは元紀州藩士で、樋口左仲と申す者。明日にでも、おぬしのところへ御礼にまいるじゃろう」

「志果羽さん。わたしは何か良いことをしたのでしょうか」

「そうじゃ、良いことをしたのじゃ」

少女時代の久子の若き警固役のひとりが上川長之丞だった。互いに憎からず思い合い、一時は噂にもなりかけたが、身分違いでもあるし、淡い恋として、やがて周囲にも忘れ去られた。

その後、長之丞は、徳義社の会計を担当する部署に勤めることになった。維新後、旧藩主・徳川茂承の多額の寄附金を元手に、窮乏する旧士族への援助や、子弟教育、寄る辺ない老幼者の救済などを主要事業として、旧紀州藩士らによって設立されたのが徳義社である。

ひとり、なお恋心を抱きつづけてきた長之丞は、ついに黙し難く、駆け落ちを思い決すると、徳義社の事業費の一部を横領し、久子を攫う機会を窺った。どこか遠いところへ行き、ふたりで暮らすのだ、と。そして、久子が今夏、大磯の別荘で保養すると知って、ひそかに待ち構えていた。長者林まで連れ出すことができたのは、長之丞の本心と画策など知る由もない久子が、昔の誼から一度ならばと逢瀬を愉しもうとしたからだ。だいいち久子は、紀州徳川家の血脈の継承こそ大事としており、いち藩士にすぎなかった長之丞のことなど、本気で相手にするわけがない。

長之丞の事業費横領を知って、行方を追ってきた樋口左仲らも徳義社の面々ばかりである。旧藩主家に泥を塗るような不祥事だから、かれらは自分たちだけでひそかに処理したかったのだ。

実は、久子の夫の頼倫は、学業不成績で学習院中等学校を中退させられたほど凡庸なので、旧紀州藩士たちは不快に思っている。長之丞ひとりに限らず、かれら皆の憧(あこが)れの姫である久子に相応(ふさわ)しくない。もし長之丞の事件が明るみになれば、頼倫が頼りない女婿(じょせい)ゆえにこんなことが起こる、とかれらは誹(そし)るだろう。頼倫自身はいまイギリスのケンブリッジ大学に留学中で、日本に不在だから、もっと酷(ひど)いことを言われるかもしれず、悪くすると御家騒動に発展しかねないのだ。

以上のことを、志果羽も天人も、当事者の樋口自身から、翌日に、明かされ、そのさい他言無用も要請されて、両人は受け容(い)れる。

「志果羽さんも、馬、好きだよね」

松林館を出て、波打ち際の天人と志果羽のもとへやってきた茂が言った。

「それが何じゃ」

「天人と一緒にプリマスに乗ってみたらどう。いいよね、天人」

「喜んで」

「な……何を申しておる」

うろたえる志果羽だ。

「そのまま五色の小石荘に泊まればいいよ。松林館の夕食は、ぼくと田辺くんとで食べるし、宿泊もふたりでするから。悪いけど、天人、田辺くんへ早々に松林館へ来るように伝えてくれる」

「では、急ぎましょう」

天人は、いきなり志果羽を抱き上げ、プリマスの背を跨がせた。

きゃっ、という声が洩れた。志果羽がそんな可愛らしい声を出せるなど、思いもよらなかった茂は、唖然としてしまう。

天人は、志果羽の前に腰を落ち着けると、首を回して告げる。

「裸馬ですから、滑ります。わたしの胴に手を回して下さい」

「そんなこと、あたいは……」

羞ずかしがる志果羽の手を、天人は取って、おのが胴を摑ませた。

「行くぞ、プリマス」

声をかけられた白馬が、優雅な足どりで汀を進み始めたのは暫しのことで、にわかに急速調の駆歩となって、濡れた砂と水煙を舞い上げながら、西へ遠ざかってゆく。

波音の心地よい大海は、真黄色に灼けた夕空に被われている。

志果羽は天人の胴へぎゅっと抱きつき、その背へ頬をくっつけているだろう。そんな恰好を、茂は想像して、ひとりでやってみた。

しぜんと笑みがこぼれる。

茂の大磯の夏は愉快、愉快である。

〈第十四話　了〉

推し本、語ります ③

法律のおもしろさを体感できるミステリー!

河村拓哉(QuizKnock)

取材・文:江藤詩文

中学生くらいから、ミステリー小説が好きでした。現在、「QuizKnock」のメンバーのひとりとして、クイズの制作や監修を担当しているので、たまに「謎解きが作れるならミステリーも書けるんじゃないか」と言われることがありますが、僕の感覚では、クイズとミステリーは祖先を同じくする別の生き物。憧(あこが)れです。

そのミステリーの中でも、最も一般的なのは「犯人は誰か」、つまり、殺人事件であれば殺したのは誰か——その真相を追っていくものではないでしょうか。

ところが、今回僕が紹介する『法廷遊戯』は、法律に基づく「有罪・無罪」をテーマにしています。ロースクールで起こったある事件を軸に描いていきますが、神様だけが知っている「無辜(むこ)」と、法律で決まる「無罪」が分けられています。これはリーガルミステリーでしか書けないことです。

法律には「推定無罪の原則」という考え方がありますよね。たとえば被疑者が十人いて、うち九人は死刑に値する重罪を犯し、残るひとりは「無辜（＝何の罪も犯していない）」の場合。法を犯した九人を特定できなければ、十人全員を死刑に処するのではなく、十人とも無罪とする……というものです。特異な考え方に思えますが、法律における「有罪・無罪」とは、やった・やっていないという真実と必ずしもイコールではありません。一般生活で触れるような倫理や正義とは異なるシステムの上で、しかし厳正に成立しています。こうした〝リーガル〟部分のエンタメ性を余すところなく表現しているのが『法廷遊戯』の魅力です。

著者の五十嵐律人（いがらしりつと）先生は現役の弁護士でもあるため、法律を真摯（しんし）に扱っていらっしゃいます。以前、五十嵐先生と対談の機会があったのですが、その際「小説を通して、法律のおもしろさを伝えたい」とおっしゃっていました。僕は理系でしたが、本作を読んで法律の合理性、論理性のおもしろさを初めて実感できたと思います。

『法廷遊戯』は映画化され、この十一月に全国公開されます。法律学の世界を経験することは少ないので、特に中高生がこういったエンタメ作品で法律に触れるのは、とてもいい機会ではないでしょうか。映像と活字、どちらも楽しんでいただきたいですね。

『法廷遊戯』五十嵐律人著／講談社文庫／定価:880円
＊定価は税10％です

かわむら たくや　1993年生まれ。東京大学理学部卒業。2016年に伊沢拓司らと東大発の知識集団・QuizKnockを創設し、現在はYouTube動画の企画・出演を行う。クイズ大会「WHAT」では大会長を務めた。2023年には妻・篠原かをりと『雑学×雑談 勝負クイズ100』を出版。

PHP文芸文庫

猫を処方いたします。

石田 祥 著

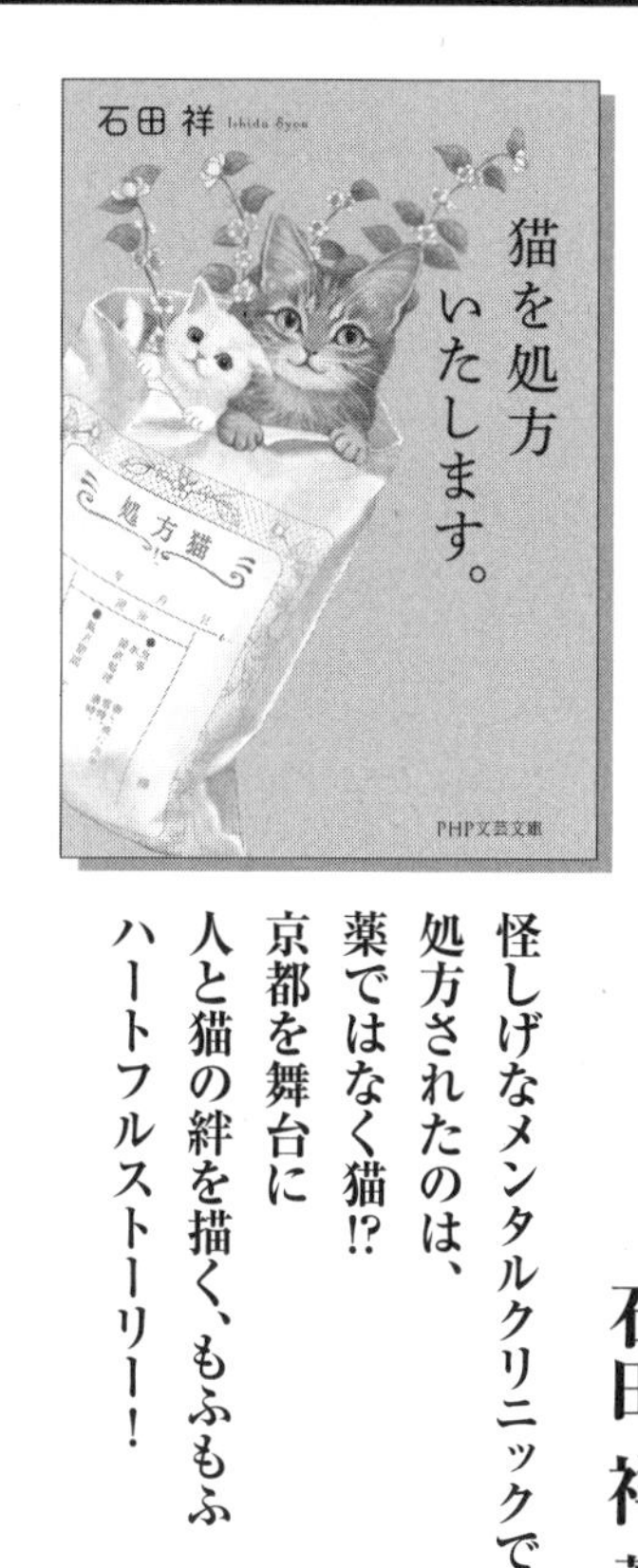

怪しげなメンタルクリニックで
処方されたのは、
薬ではなく猫!?
京都を舞台に
人と猫の絆を描く、もふもふ
ハートフルストーリー!

文蔵

◆筆者紹介◆

12月号

あさのあつこ

54年岡山県生まれ。「バッテリー」シリーズで数々の賞を受賞。著書に、「おいち不思議がたり」「The MANZAI」「NO.6」「弥勒の月」シリーズ、などがある。

瀧羽麻子 たきわ あさこ

81年兵庫県生まれ。2007年『うさぎパン』でダ・ヴィンチ文学賞大賞を受賞し、デビュー。著書に『ありえないほどうるさいオルゴール店』『博士の長靴』など。

寺地はるな てらち はるな
77年佐賀県生まれ。14年『ビオレタ』で第4回ポプラ社小説新人賞を受賞。著書に『川のほとりに立つ者は』『水を縫う』『ガラスの海を渡る舟』など。

西澤保彦 にしざわ やすひこ
60年高知県生まれ。95年に『解体諸因』でデビュー。著書に『七回死んだ男』『パラレル・フィクショナル』、「匠千暁」「腕貫探偵」シリーズなど。

宮部みゆき みやべ みゆき
60年東京生まれ。『理由』で直木賞を受賞。『〈完本〉初ものがたり』『あかんべえ』『ぼんくら』『桜ほうさら』『この世の春』『きたきた捕物帖』など著書多数。

宮本昌孝 みやもと まさたか
55年静岡県生まれ。『天離り果つる国』で、『この時代小説がすごい！ 22年版』の単行本部門第一位を獲得。著書に、『剣豪将軍義輝』『ふたり道三』『風魔』など。

村山早紀 むらやま さき
63年長崎県生まれ。『ちいさいえりちゃん』で毎日童話新人賞最優秀賞、椋鳩十児童文学賞を受賞。代表作に「コンビニたそがれ堂」「桜風堂ものがたり」シリーズなど。

文蔵◆バックナンバー紹介

Vol.194 2022年10月
〈特集〉**いま読み始めたい文庫シリーズ小説**

Vol.195 2022年11月
〈特集〉**図書館、博物館小説で文化を味わう**
●新連載小説 **福澤徹三**「恐室　冥國大學オカルト研究会活動日誌」（〜2023・7・8）

Vol.196 2022年12月
〈特集〉**山口恵以子デビュー十五年の軌跡**
●新連載小説 **小路幸也**「すべての神様の十月㊂」（〜2023・11）

Vol.197 2023年1・2月
〈ブックガイド〉**新世代のミステリー作家に大注目**

Vol.198 2023年3月
〈特集〉**「建物」が生み出す物語**
●新連載小説 **西澤保彦**「彼女は逃げ切れなかった」
●新連載エッセイ　わたしのちょっと苦手なもの

Vol.199 2023年4月
〈特集〉**二刀流作家の小説が面白い**

Vol.200 2023年5月
〈特集〉**あさのあつこ その作品世界の魅力**

Vol.201 2023年6月
〈特集〉**時代を映す「青春小説」**
●新連載小説 **瀧羽麻子**「さよなら校長先生」

Vol.202 2023年7・8月
〈特集〉**ジョブチェンジ小説で未来を拓け**
●新連載小説 **村山早紀**「桜風堂夢ものがたり2」

Vol.203 2023年9月
〈特集〉**竹宮ゆゆこ作品の魅力に迫る**
●新連載小説 **あさのあつこ**「おいち不思議がたり」
寺地はるな「世界はきみが思うより」

Vol.204 2023年10月
〈特集〉**「スパイ・国際謀略」小説**
●新連載インタビュー　推し本、語ります

Vol.205 2023年11月
〈特集〉**小説で考える「ルッキズム」**

※創刊号（2005年10月）〜Vol.172（2020年7・8月）は品切です。

目次は文蔵HP[https://www.php.co.jp/bunzo/]でご覧いただけます。

ＰＨＰ文芸文庫　文蔵 2023. 12

2023年11月29日　発行

編　者　「文蔵」編集部
発行者　永田貴之
発行所　株式会社ＰＨＰ研究所
東京本部　〒135-8137　江東区豊洲5-6-52
文化事業部　☎03-3520-9620（編集）
普及部　☎03-3520-9630（販売）
京都本部　〒601-8411　京都市南区西九条北ノ内町11
PHP INTERFACE　https://www.php.co.jp/
制作協力・組版　朝日メディアインターナショナル株式会社
印刷所・製本所　図書印刷株式会社

ISBN978-4-569-90361-3